Le journal de Joe Coltons

« Quel plaisir de revoir Wyatt Russell ! Il a parcouru un tel chemin depuis son séjour, voilà des années, au Hopechest Ranch avec sa famille, alors si profondément démunie ! Mais, selon mon fils Rand, les revenus faramineux et l'activité prestigieuse de son ami d'enfance ne suffisent pas à remplir sa vie. A vrai dire, Wyatt se languit de fonder une famille. Aussi, ce n'est pas sans arrière-pensées qu'il a proposé à Rand d'apporter des informations importantes à Emily, ma fille adoptive qui se cache à Keyhole, dans le Wyoming, pour échapper au danger qui menace la famille. Revoir Annie Summers, son ancienne petite amie, est évidemment la véritable raison qui a poussé Wyatt à se rendre dans cette petite bourgade. Pourtant, les choses ont bien changé depuis leur rupture. Aujourd'hui, Annie élève seule ses jumeaux turbulents. Elle a perdu toute illusion quant à l'amour, notamment à cause de Wyatt... Quoi qu'il en soit, retrouver Annie a réveillé des sentiments intenses en Wyatt. Et il n'est pas homme à refuser un défi ! »

CAROLYN ZANE

Carolyn Zane vit avec son mari, Matt, et leurs deux petites filles, Madeline et Olivia, dans la magnifique campagne de l'Oregon, en bordure de la rivière Willamette, non loin de Portland.

En 1992, fidèle à ses résolutions du nouvel an, elle entame l'écriture de son premier roman. Achevé un an plus tard, celui-ci est immédiatement proposé à Harlequin. Au cours des années qui ont suivi, Carolyn a écrit près de trente titres de romans d'amour, publiés par Harlequin, ainsi que par deux autres éditeurs de romans sentimentaux, et diffusés à plus d'un million d'exemplaires dans le monde.

Une famille cachée

Cet ouvrage a été publié en langue anglaise sous le titre :
TAKING ON TWINS

Traduction française de
SOPHIE DUBAIL

HARLEQUIN®

est une marque déposée du Groupe Harlequin

Illustration de couverture
Villa aux aloès : © CAMILLE MOIRENC / PHOTONONSTOP

83-85, boulevard Vincent-Auriol, 75013 PARIS — Tél. : 01 42 16 63 63
Service Lectrices — Tél. : 01 45 82 47 47
ISBN 2-280-21008-8

CAROLYN ZANE

Une famille cachée

SAGA *LES COLTONS*

LES COLTONS

Entrez dans l'univers des Coltons, cette riche et puissante famille dont le bonheur est soudain menacé.

***Wyatt Russell* :**

Devenu un brillant avocat, en dépit de son enfance misérable, Wyatt devrait être aujourd'hui un homme heureux. Mais sa vie lui semble désespérément vide. En tournant le dos à son passé, ne s'est-il pas finalement coupé de l'essentiel ?

***Annie Summers* :**

Persuadée d'avoir acquis un équilibre, Annie apprécie la nouvelle existence qu'elle s'est construite avec ses jumeaux. Mais ses retrouvailles avec Wyatt remettent soudain ses choix en question… et lui font espérer l'impossible.

***Graham Coltons* :**

Contraint de révéler le chantage dont il est l'objet, le frère de Joe se voit, dans le même temps, obligé d'avouer ses fautes — des fautes qui pourraient bien faire vaciller la dynastie familiale en dressant les deux frères l'un contre l'autre !

1.

— Wyatt ? C'est toi ?

Wyatt Russell releva la tête et aperçut sa cousine Liza Coltons, la future mariée, qui jaillissait de l'Hacienda del Alegria, la majestueuse demeure de style espagnol de son oncle Joe. Elle traînait dans son sillage un pauvre diable qui, supposa Wyatt, ne pouvait être que son fiancé. Le rire cristallin de Liza retentit, et il sentit son cœur se gonfler de joie et ses joues s'enflammer. Quel bonheur de rentrer au bercail ! Tout en sortant ses bagages du taxi, il s'enivra d'une profonde bouffée d'air familier.

Ah, Prosperino ! La Californie ! Il lui suffisait de se trouver au cœur de cette vallée fertile pour se sentir revivre.

La journée était ensoleillée, comme à l'accoutumée ; les collines aux formes arrondies et le ciel bleu s'étendaient à perte de vue.

Oui, c'était là un véritable paradis sur terre. Et tellement plus encore, en raison de toutes les personnes qui attendaient son retour…

— J'en étais sûre, Nick chéri ! C'est Wyatt. Viens, mon cœur, dépêche-toi !

Un sourire indulgent sur les lèvres, Nick, puisque tel était son nom, se laissa traîner par Liza qui dévala les marches du perron pour rejoindre le taxi arrêté sous le vaste portique.

— Wyatt Russell ! Sacrée fripouille ! Toi, le spécialiste du retard, je n'arrive pas à croire que tu sois arrivé à temps pour mon mariage ! Et avec une semaine d'avance, par-dessus le marché ! Nick, mon amour, rattrape-moi, je sens que je vais défaillir…

— Liza !

Wyatt laissa tomber ses valises et souleva la mince jeune femme dans ses bras.

Ils tournoyèrent et s'exclamèrent longuement, puis Wyatt reposa Liza et l'examina de la tête aux pieds. Aujourd'hui élancée et sophistiquée, elle avait perdu ses rondeurs enfantines et possédait la silhouette d'une magnifique jeune femme. Wyatt siffla d'admiration.

— Ça alors ! Ma petite Lézarde s'est métamorphosée, et je la trouve bigrement séduisante !

— Je te retourne le compliment, mon cher cousin, répondit-elle en se pavanant sous son regard scrutateur.

Elle leva la main et, du bout des doigts, effleura la fossette de son menton.

— Toujours aussi désirable, à ce que je vois, monsieur le bourreau des cœurs !

Wyatt roula les yeux.

— Cela fait combien de temps ?

— Trop longtemps, répondit-elle avec dédain. Maintenant que tu joues les grands avocats à Washington, tu n'as plus de temps pour nous autres petites gens.

— Ainsi parlait la diva de la plèbe ! lança Wyatt, grandiloquent.

— Allons, ne me dis pas que tu t'intéresses à ma carrière ?

Il s'étrangla de rire.

— Uniquement chaque fois que je me passionne pour la presse à scandale. J'ai ainsi appris qu'Elvis et toi alliez être les parents d'un petit extraterrestre ?

— Plutôt dépassée, comme nouvelle ! Tu ne sais donc pas que Nick et moi allons divorcer ?

— Avant même de vous marier ?

— Oui, nous gagnerons du temps, ainsi !

— Toujours aussi prévoyante ! Au fait, en parlant de ta carrière, toutes mes félicitations pour avoir retrouvé ta voix. Tu chantes mieux que jamais !

Liza leva les mains vers le ciel en signe de supplique.

— Grâce à Nick.

Elle attira près d'elle son fiancé qui se tenait en retrait.

— C'est ainsi que nous nous sommes rencontrés. Nick était mon médecin.

— Les fans de musique du monde entier te doivent une fière chandelle, Nick !

— Elle me passe de la pommade, commenta Nick en gloussant.

— Wyatt, je te présente l'homme de ma vie, Nick Hathaway…

Avec un soupir de satisfaction, elle se blottit contre lui et enlaça son bras.

— … Nick, voici Wyatt Russell, l'un des nombreux enfants adoptifs de mon oncle Joe et…, annonça-t-elle avec une grimace, … le bourreau de mon enfance.

Lorsqu'il tendit la main à Nick, Wyatt vit tout l'amour qui brillait dans les yeux de Liza, et il sut qu'elle était heureuse. Il ressentit comme une pointe de jalousie et poussa un lourd soupir de lassitude. Si seulement ses dossiers voulaient bien se gérer tout seuls, peut-être pourrait-il enfin avoir une vie sociale et rencontrer la femme de sa vie. Le célibat commençait à lui peser, et il avait envie de vivre avec une compagne une relation aussi forte que celle qui unissait Liza et son fiancé.

Il se passa la main dans les cheveux. Les mariages… Ça le mettait toujours mal à l'aise.

— Content de te rencontrer, Nick, dit-il en lui serrant la main et en lui donnant une tape dans le dos.

Il était sincère. Il se dégageait de Nick quelque chose qui inspirait immédiatement la confiance. Wyatt l'appréciait déjà.

— Moi aussi, je suis heureux de faire ta connaissance. Liza m'a beaucoup parlé de toi.

— Vraiment ?

Il se pencha pour ramasser ses sacs.

— T'a-t-elle dit que pour l'entendre pousser ses notes les plus hautes, la vue d'un ver de terre en plastique faisait l'affaire ? Je te recommande son tiroir à bijoux, mais cela marche aussi dans ses chaussures !

Nick jeta un regard pensif vers sa future femme.

— Je tâcherai de m'en souvenir.

— Je ne te le conseille pas ! menaça Liza. Wyatt, laisse donc tes bagages ici, on s'en occupera plus tard.

Virevoltant comme un papillon délicat, elle se glissa entre les deux hommes et, les prenant par le bras, les entraîna vers la maison.

— Pour l'instant, tout le monde t'attend impatiemment. Et oncle Joe plus particulièrement.

Comme Liza l'avait annoncé, un véritable comité d'accueil s'était réuni dans le salon attenant au vestibule.

— Wyatt, mon garçon !

La voix affectueuse de Joe Coltons, le patriarche familial, résonna dans l'immense pièce dallée, tandis qu'il accueillait Wyatt, le serrait contre lui et lui donnait des tapes affectueuses dans le dos.

— Te voilà enfin ! Sois le bienvenu ! Et en plus, tu es à l'heure pour le dîner. Fidèle aux bonnes vieilles habitudes, à ce que je vois !

L'intensité du sentiment d'appartenance saisit Wyatt à la gorge tandis qu'il rendait à Joe toutes ses marques d'affection. Le revoir sain et sauf après ce qu'il avait traversé au cours de l'année écoulée était un véritable soulagement. Il ne conservait qu'une légère cicatrice sur la joue, triste souvenir de la tentative d'assassinat perpétrée pendant la fête de son soixantième anniversaire.

— Tu as l'air en pleine forme, Joe !

Ce dernier ronchonna et balaya le compliment d'un revers de la main.

Wyatt sourit. Joe refusait invariablement les éloges. Il ignorait apparemment le fait que, malgré son âge, il avait conservé toute sa séduction, attirant le regard des femmes par sa prestance majestueuse et sa carrure puissante qu'il entretenait par des exercices quotidiens de gymnastique. Bien qu'il vînt tout juste d'entamer sa septième décennie, ses cheveux commençaient à peine à grisonner sur les tempes, ce qui ne faisait qu'accroître son charme et sa distinction.

Mais Joe n'en avait cure.

Pour lui, seuls comptaient l'amour de la famille et le sens des valeurs. Et c'était sans doute pour cela, se dit Wyatt avec admiration, que Joe Coltons était devenu l'homme qu'il était aujourd'hui.

Pendant que Joe le recevait à bras ouverts, Wyatt entendit plusieurs voix l'interpeller. Très vite, il fut submergé d'embrassades, et les souvenirs de la vie heureuse qu'il avait connue ici jadis l'envahirent. Il accueillit avec une joie sans retenue chaque visage familier qui s'avançait vers lui pour le saluer. Son cœur et son âme battaient au rythme de cette famille.

A un détail près… Un brusque sentiment d'étrangeté le frappa, mettant soudain en lumière une différence ignorée jusqu'alors.

En regardant le visage rayonnant de tous ces êtres qui l'avaient aidé à forger sa jeunesse, il constata que tous avaient trouvé un partenaire dans la vie. Tous, sauf lui. C'était curieux : ce « détail » lui avait échappé jusqu'alors. Il faut dire que le phénomène était récent, la plupart de ces mariages ayant été célébrés au cours des derniers mois. Lentement, il parcourut l'assemblée du regard et compta les nombreux couples.

Aux côtés de Joe et Meredith, il aperçut oncle Graham et tante Cynthia, les parents de la future mariée ; Rand, son demi-frère et son épouse Lucy ; Sophie, la fille de Joe accompagnée de son mari River ; Drake, le fils de Joe et son épouse Maya, et encore Heather, fille du frère adoptif de Joe, au bras de son mari Chad.

Sans oublier, bien entendu, Liza et Nick, les futurs mariés.

Et il ne s'agissait que des personnes présentes dans cette pièce à ce moment-là, constata Wyatt en se caressant le menton pensivement. Depuis quand tout le monde avait-il trouvé son alter ego ? Dans l'heure qui suivit, d'autres membres de la famille arrivèrent pour le saluer. Tous étaient mariés ou du moins fiancés.

Rand, le demi-frère de Wyatt qui s'était récemment associé à son cabinet d'avocats de Washington DC, s'avança vers lui et lui tendit un rafraîchissement.

— Salut, frangin ! Comment s'est passé ton vol ?

— Comme dans un fauteuil ! Et toi ?

— Pareil.

Rand baissa la voix et regarda Meredith à la dérobée.

— Des nouvelles d'Austin ?

Austin McGrath était un cousin éloigné. Détective privé de profession, il jouissait d'une excellente réputation dans le métier.

Wyatt secoua la tête.

— La dernière fois que je l'ai eu au téléphone, il était dans une impasse. Mais il m'a assuré qu'il touchait au but ; il nous fera parvenir des informations capitales très rapidement.

— Parfait. J'ai hâte de savoir s'il a du nouveau sur…

Prudemment, il jeta un coup d'œil par-dessus son épaule en direction de Meredith.

— … *maman.* Dès que je reçois quelque chose, je veux te voir seul à seul et te mettre au courant immédiatement.

Wyatt approuva d'un signe de tête.

— Au fait, mon vieux, je te remercie d'être resté au bureau pour régler les affaires en cours. Lucy et moi avions besoin de passer un peu de temps en famille.

— Aucun problème. C'était comment, à San Francisco ?

Rand lui lança un regard aussi bref que lourd de sens.

— Nous avons passé quelques jours… euh… en compagnie de la famille de Lucy. Et sur l'insistance de ses petits cousins, le jeune Max va rester ici jusqu'au mariage. Impossible de lui faire changer d'avis !

— Ah ! Les joies de la belle-famille ! ironisa Wyatt.

— Tu ne connais pas ta chance, Wyatt. Mais ne crois pas que ta vie de célibataire va durer éternellement !

— C'est si difficile à supporter que ça, une belle-famille ?

Le sourcil levé, Rand eut un petit sourire cynique.

— Au moins, tu as une cavalière pour le mariage, reprit Wyatt avec un haussement d'épaule philosophique.

Interrompant sa conversation avec la future mariée, Lucy se glissa entre les deux hommes et après les avoir regardés tour à tour, elle déclara, comme si elle savait de quoi ils parlaient :

— Rand, nous devons trouver une cavalière à Wyatt pour le mariage.

Wyatt éclata de rire.

— Tu ne peux pas la débrancher une minute ?

— Tu rêves ! plaisanta Rand en secouant la tête.

Wyatt attira Lucy contre lui et lui ébouriffa les cheveux.

— Lucy, change de disque. Je n'ai pas envie, à peine rentré à la maison, d'être la proie de tes éternels talents de marieuse !

— Un jour, tu me remercieras.

— Je te remercierai de garder le silence.

Lucy feignit d'être offusquée.

— Comme tu voudras, monsieur Grincheux ! Allez viens, je vais te montrer ta suite. Elle est juste en face de la nôtre. Veinard ! Je vais pouvoir m'occuper de toi pendant tout le week-end !

— Veinard ? Je n'en suis pas si sûr ! soupira Wyatt.

Wyatt défit ses bagages et rangea ses vêtements dans la penderie de sa suite luxueuse, sans cesser de se demander s'il se marierait jamais.

Il hocha brusquement la tête. Non, cela n'arriverait pas... Il avait laissé passer sa chance quand il était à l'université avec Annie.

Annie.

Pas un jour ne passait sans qu'il pensât à elle. La seule évocation de son prénom le submergeait de regrets. Un muscle de sa mâchoire se contracta et il grinça des dents, machinalement. Quel idiot il avait pu être !

Dire qu'aujourd'hui, s'il n'avait pas été à ce point obsédé par sa carrière, il pourrait être marié à la femme qu'il aimait et le père comblé de deux bambins ! Il fit rouler ses épaules et inclina la tête de droite à gauche pour apaiser la tension de ses muscles.

Le mariage prochain de Liza le rendait tout à la fois songeur, nostalgique et irascible. Et il savait parfaitement que sa vie personnelle, triste et terne, était la cause de ses états d'âme. Oh, bien sûr, son parcours professionnel était pleinement satisfaisant, et il n'avait cessé de l'être depuis la fin de ses études. Mais maintenant qu'il avait atteint, et même dépassé la trentaine, il ressentait cruellement le manque de tout ce qu'il avait retrouvé à l'instant où il était descendu du taxi.

Une famille… Un foyer… L'appartenance à un groupe… Rien ne lui faisait davantage envie.

Un coup frappé à sa porte le tira de ses réflexions.

— Wyatt ? C'est moi, Lucy.

Mais bien sûr, qui dit famille dit tracas…

— Tu peux venir, Rand, appela Lucy dès qu'il eut ouvert la porte. Il est visible.

Les sourcils froncés, elle entra dans la chambre et alla s'asseoir sur la banquette au bout du lit.

Rand entra à son tour et alla prendre place à côté de sa femme, sans quitter des yeux les documents qu'il était en train de lire.

Quand il remarqua l'air sombre sur le visage de son demi-frère, Wyatt s'immobilisa.

— Qu'est-ce que c'est ?

— Les renseignements qu'Emily espérait depuis si longtemps. Je viens de les recevoir.

— Tu as parlé à Emily ?

Wyatt s'inquiétait et se posait mille questions au sujet de leur jeune sœur. Bien que majeure, elle restait une enfant à ses yeux.

— Non, pas encore. Mais je compte l'appeler. Ecoute, ça vient d'arriver par coursier de la part d'Austin.

Wyatt vint s'asseoir à côté de Lucy, la serrant entre Rand et lui.

— J'écoute.

— De nouvelles preuves que Meredith n'est sans doute pas Meredith ! annonça Rand avec une ironie désabusée.

Wyatt laissa échapper un long et profond soupir.

— Et maintenant ? Que faisons-nous ?

Rand tapota la liasse de feuillets qu'il tenait à la main.

— Récapitulons. Depuis quelque temps, nous nous sommes mis à envisager la possibilité que la femme que nous appelons aujourd'hui « maman » ne soit pas celle que nous croyons, mais sa sœur jumelle.

— Patsy Portman, murmura Lucy.

— C'est ça.

— C'est tellement… difficile à *croire*. Je veux dire… Enfin, c'est insensé ! articula Wyatt en passant sa main dans ses cheveux.

— Oui, c'est insensé. Mais Emily, elle, en est convaincue, reprit Rand. Tellement, qu'elle a préféré s'enfuir en septembre dernier. Il faut dire que si ce qu'elle affirme est vrai, il y a vraiment de quoi être terrifié.

— Nous aurions dû l'écouter plus tôt. Notre mère n'était plus la même.

Incapable de contenir son agitation plus longtemps, Wyatt se leva et se dirigea vers le minibar. Il sortit trois bouteilles d'eau gazeuse et en tendit une à Rand et à Lucy.

— Ce n'était pas évident, murmura Lucy en ouvrant sa bouteille. Parfois, les gens changent, après une forte commotion cérébrale. Ils n'agissent plus de la même façon. Et en plus, vous ne saviez pas que Meredith avait une sœur jumelle. Manifestement, elle souhaitait qu'aucun d'entre vous ne connaisse l'existence de Patsy. Comment le lui reprocher ?

Wyatt but une longue gorgée d'eau en espérant faire disparaître le goût acide qu'il avait dans la bouche.

— Non, bien sûr. Mais maintenant Emily a disparu, et sa vie quotidienne ne doit pas être facile.

— D'un autre côté, étant donné ce qu'Emily a dit au sujet de Meredith, il vaut peut-être mieux qu'elle ne soit plus à la maison, conclut Rand en agitant le document qu'il tenait à la main, et en faisant claquer le pouce et l'index sur les feuillets. Le rapport d'Austin confirme ses pires soupçons.

Frappé par la gravité de la situation, Wyatt s'appuya contre le minibar et hocha la tête.

— Malheureusement, j'en ai peur. Il y a toutes les chances pour que Patsy Portman ait pris sa place !

Lucy entremêla nerveusement ses doigts.

— Sa soeur folle ? Ici ? Dans la maison ? Avec nous ? En ce moment même ?

Wyatt leva un sourcil.

— Nous savions que c'était une éventualité.

— Bien sûr, je savais que c'était possible, dit-elle. Mais, au fond de moi, je n'arrivais pas à y croire. Je veux dire, c'est si… si… Comment une femme peut-elle prendre la place d'une autre et berner tout le monde pendant près de dix ans ?

Rand se tourna vers Wyatt.

— Ce qui nous amène à la question suivante : si elle n'est pas maman, alors où est maman ?

Wyatt ne mâcha pas ses mots :

— Tu crois qu'elle est morte ?

— C'est malheureusement à envisager. On ne kidnappe pas les gens pendant dix ans. Drake le pense. Pour tout dire, c'est l'hypothèse la plus vraisemblable.

— Sa sœur l'aurait assassinée ?

— Oui. Patsy n'en serait pas à son coup d'essai.

Lucy regarda les deux hommes.

— Mais pourquoi Patsy aurait-elle haï à ce point sa propre sœur ?

— La jalousie, probablement.

Chaque nouvelle information venait renforcer les certitudes de Wyatt.

— En prenant l'identité de Meredith, cela lui permettait d'échapper à une autre condamnation pour meurtre.

Lucy laissa retomber sa tête sur les épaules.

— Bref, ma belle-mère serait une meurtrière.

— En réalité, il s'agit de ta tante par alliance, corrigea Wyatt.

Lucy fixa alors son mari d'un air entendu.

— Je ne veux plus jamais t'entendre te plaindre de ma famille !

— Pour l'instant, le meurtre de maman n'est pas prouvé.

Rand but une gorgée et essuya sa bouche sur sa manche.

— Jusqu'à maintenant, nous n'avons aucune preuve qu'elle soit effectivement morte. Et sans corps, nous ne pouvons rien affirmer.

— Et jusqu'à ce que nous puissions prouver quoi que ce soit, nous devons continuer à prétendre que Patsy est Meredith, et considérer comme normal son comportement étrange ? interrogea Lucy.

Wyatt haussa les épaules.

— C'est exactement ce que nous faisons depuis des années.

Lucy regarda de nouveau les deux hommes et frissonna.

— Sauf que, maintenant, nous savons la vérité.

Plus tard, ce soir-là, le dîner pris en famille rappela une multitude de souvenirs à Wyatt, et il se sentit plus vivant qu'il ne l'avait été depuis des années. C'était un tel plaisir de goûter de nouveau aux éloges comme aux piques bon enfant des membres de la famille ! Il en aurait presque regretté que « Meredith » se fût plainte d'un mal de tête et eût manqué la plupart des réjouissances. Lorsqu'elle s'était excusée et était sortie de la pièce, Wyatt avait échangé un regard entendu avec Rand et Lucy, et il s'était demandé combien d'autres personnes autour de la table suspectaient que Meredith ne fût pas vraiment… Meredith.

Si elle manqua à l'un d'entre eux, son départ n'affecta pas très longtemps la bonne humeur ambiante. Les convives portèrent des toasts aux futurs mariés, remontèrent le temps en racontant des anecdotes à ne plus finir, et tous se sentirent envahis par un sentiment de totale plénitude. Quant à Wyatt, il aspira, une fois de plus, à retrouver davantage qu'un appartement confortable et cossu, le soir, après une journée de travail.

Lorsque la soirée fut bien avancée, les uns se retirèrent dans leurs chambres, d'autres allèrent au Jacuzzi ou dans la salle de billard, d'autres encore dans le jardin prendre un digestif. Lucy et Rand accompagnèrent Wyatt jusqu'à sa suite et y entrèrent quelques instants.

— Et maintenant ? Que faisons-nous ?

Rand posa la main sur sa poche, qui contenait les documents reçus dans l'après-midi.

— Il faut faire parvenir ces informations à Emily. Je serai revenu à temps pour le mariage, annonça-t-il en jetant un coup d'œil à Lucy.

— Tu vas y aller ? interrogea Wyatt.

— Il le faut. Nous ne pouvons pas laisser Emily se débrouiller toute seule. Plus nous la tiendrons informée et plus elle sera en sécurité.

Paralysé par un sentiment d'impuissance, Wyatt approuva d'un hochement de tête.

— Tu as raison. Comment as-tu su où elle se trouvait ?

— L'indic d'Austin a retrouvé sa trace voilà quelques heures.

Rand fit une pause et regarda son frère droit dans les yeux avant d'assener la nouvelle.

— Elle est à Keyhole.

Wyatt sentit les poils de sa nuque se hérisser et il se figea. Avait-il bien entendu ?

— *Keyhole* ? Keyhole dans le Wyoming ? Tu plaisantes ?

— J'étais sûr que cela te rappellerait quelque chose, constata Rand en fronçant les sourcils et en scrutant le visage de Wyatt.

— Qu'est-ce qui doit lui rappeler quelque chose ? Pourquoi ? intervint Lucy.

Regardant tour à tour les deux hommes qui parlaient au-dessus de sa tête, elle insista :

— Pourquoi une ville du nom de Keyhole devrait-elle lui rappeler quelque chose ?

Incrédule, Wyatt ignora Lucy et ne fit que répéter :

— Emily se cache à Keyhole ? Pourquoi Keyhole ?

— Je ne sais pas. Notre informateur n'a pas reçu ses confidences. Cependant, Keyhole n'est pas loin de Nettle Creek où papa a grandi. Je suppose qu'ainsi, elle se sent un peu moins loin de la maison.

Rand plissa les yeux.

— Est-ce qu'Annie ne vit pas à Keyhole, aujourd'hui ?

— Qui est Annie ? s'étonna Lucy.

Wyatt s'éclaircit bruyamment la gorge, dans l'espoir de ne pas paraître aussi angoissé qu'il l'était en réalité.

— Oui, je crois, en effet…

Lucy soupira.

— Ohé ! Les garçons ! Je suis là. J'ai posé une question. Qui est Annie ?

— Depuis quand ne vous êtes-vous pas revus, tous les deux ?

— Depuis l'université.

Wyatt passa une main lasse sur son front, et massa la douleur familière qui s'installait dans son crâne chaque fois qu'il pensait à la vie qu'Annie menait sans lui. La simple évocation de son mariage le perturbait profondément.

— Elle s'est mariée et elle a deux enfants. Des jumeaux, à ce que je sais.

— Donc une certaine Annie a des jumeaux. Ça vous dérangerait de me donner une explication ou quelque chose dans le genre ? Après tout, *j'existe* ! s'impatienta Lucy.

— Est-ce que son mari n'est pas mort dans un accident, voilà quelques années ? poursuivit Rand.

— Oui, je crois que tu m'en avais parlé.

Wyatt n'avait appris la disparition du mari d'Annie que longtemps après les funérailles. Présenter ses condoléances lui avait alors semblé intempestif. Déplacé. Du moins était-ce l'excuse qu'il avait trouvée pour justifier sa crainte de reprendre contact avec Annie.

— En tout cas, pour autant que je sache, elle ne s'est pas remariée.

Dans un soupir, Lucy enfouit sa tête entre ses mains.

— Et moi je suis devenue invisible ! gémit-elle.

Rand se mit à rire.

— Lucy, mon cœur. Annie n'est autre que le premier… et le seul amour de Wyatt.

Lucy jeta un coup d'œil à Wyatt à travers ses doigts.

— *Toi* ? Tu as été *amoureux* ?

— Inutile de paraître aussi choquée.

— Je te demande pardon ! Monsieur Je-n'ai-besoin-de-personne est tombé amoureux ! Ça, mon cher, on peut dire que c'est une sacrée nouvelle !

Elle éclata de rire, plissa les yeux et caressa doucement la joue de Wyatt du bout des doigts.

— Et à voir la rougeur de ton visage, je parie que tu es toujours amoureux !

Wyatt regarda Rand d'un air désapprobateur.

— Comment arrives-tu à supporter qu'elle fourre son nez partout de cette façon ?

Rand s'esclaffa.

— Que veux-tu, c'est ce qui fait son charme ! Je suis tombé amoureux de Lucy essentiellement à cause de ses talents de commère.

— Oh, mon amour, tu es trop gentil !

Lucy se blottit dans les bras de son mari et l'embrassa avec passion. Très vite, ils émirent des ronronnements de plaisir.

Wyatt roula des yeux furieux.

— Hé ! Vous deux, vous n'avez pas une chambre ? tempêta-t-il.

— Chéri…, supplia Lucy, tout contre le cou de Rand. Pourquoi vas-tu à Keyhole ? Laisse donc Wyatt y aller à ta place. Après tout, il a davantage de raisons d'y aller que toi, n'est-ce pas ? En plus, je ne veux pas que tu partes. Reste avec moi… Tu ne le regretteras pas.

— Je n'arrive pas à penser lorsque tu embrasses mon oreille comme ça, protesta Rand.

— Ça suffit. Sortez d'ici ! ordonna Wyatt en allant ouvrir la porte.

Doucement, Rand prit Lucy dans ses bras et l'entraîna dans le couloir.

— Ne t'inquiète pas, Wyatt ! cria Lucy. Tu seras de retour à temps pour le mariage de Liza. Et puis, qui sait ? Si tu le lui demandes gentiment, elle acceptera peut-être de te servir de cavalière !

Leurs rires résonnèrent dans le couloir puis dans leur suite. Ensuite, le silencc s'installa.

Wyatt se débarrassa prestement de ses chaussures en cuir italien outrageusement chères, remua les orteils et, du regard, il fit lentement le tour de sa suite. Jamais, même dans ses rêves les plus fous, il n'avait imaginé qu'il parviendrait à se construire une vie confortable sur cette bonne vieille terre. Et pourtant, il avait réussi.

Il devait tout à Joe. Joe, lui-même enfant adopté, n'avait jamais oublié la chance qu'il avait eue d'être recueilli et élevé par une famille, après la mort de ses parents et le quasi-abandon de ses grands-parents.

Devenu adulte à son tour, il avait su distribuer à profusion l'amour qui lui avait été donné. Wyatt faisait partie des nombreux enfants qui en avaient bénéficié. Oui, plus encore qu'une aide matérielle, Wyatt avait trouvé ici un vrai foyer. Ainsi, malgré une absence de Prosperino de presque cinq ans, il retrouvait tout naturellement sa place à la table familiale, comme s'il n'avait été absent que cinq minutes. Quelle meilleure preuve que la famille signifiait davantage que les liens du sang ? Qu'il s'agissait plutôt d'une histoire commune. D'affection. D'amour.

Wyatt s'adossa aux oreillers appuyés contre la tête du lit et ses pensées s'envolèrent aussitôt vers Annie.

Quoi qu'il fît, elles revenaient toujours à Annie.

La famille de celle-ci habitait Keyhole. Cette même petite ville où sa demi-sœur Emily s'était réfugiée. Seigneur ! Quelle étrange coïncidence ! Devait-il voir là un signe du ciel ?

Keyhole, dans le Wyoming. Le petit village au charme vieillot s'anima dans son esprit. Cela faisait des années qu'il y était allé. Rendre visite à Annie… Faire la connaissance de sa famille… Et dire qu'il avait gâché la plus belle chose qui lui fût jamais arrivée !

Son esprit s'emballait, bouillonnait et hurlait à la pensée d'Annie. Il savait depuis bien longtemps que, dès qu'il commençait à penser à elle, il ne pouvait plus s'arrêter. Il se sentait alors malheureux, il en perdait le sommeil. Rien ne pouvait y faire. C'était presque comme si, après leur premier baiser, elle était devenue partie intégrante de lui-même. Même après toutes ces années, le souvenir de cette femme lui serrait encore la gorge et faisait bouillir son sang. Laissant échapper une plainte torturée, Wyatt se retourna et enfouit sa tête sous l'oreiller.

Idiot. Idiot. Idiot. Les plumes duveteuses ne semblaient pouvoir étouffer ce refrain incessant.

Il ferma les yeux et le délicieux visage d'Annie lui apparut. Elle aurait pu faire la publicité de la comédie musicale dont elle portait le nom. Bouclée et rousse, Annie répétait à l'envi que ses cheveux étaient le fardeau de son existence. Elle refusait de croire que c'était l'une des premières choses qui avaient séduit Wyatt. Sa chevelure et sa peau claire, couleur ivoire, ainsi que les traits juvéniles et purs de son visage. Mais il aimait par-dessus tout ses incroyables yeux verts. Des yeux en forme d'amande, légèrement incurvés, qui donnaient à son visage d'Américaine un air légèrement exotique.

Des yeux qui voyaient jusqu'au plus profond de son âme.

Wyatt repoussa l'oreiller et fixa le plafond.

Il avait rencontré Annie pour la première fois, dix ans auparavant, dans l'une des nombreuses cafeterias de l'Université d'Etat de Prosperino, où ils travaillaient à la plonge. Un tapis roulant transportait les plateaux sales vers un lave-vaisselle géant. Le long de ce tapis, les employés, tous étudiants, retiraient les couverts, les papiers et les verres. Ensuite, les plateaux arrivaient à la zone d'élimination des déchets où d'autres étudiants jetaient les restes, rinçaient les assiettes et les chargeaient dans le lave-vaisselle. Telle une laverie pour voitures, la machine avalait inlassablement son chargement et, à l'autre extrémité, d'autres étudiants sortaient la vaisselle propre. Le travail était harassant et sale, mais il permettait de payer les factures que les bourses d'études ne couvraient pas.

Le travail de Wyatt consistait à charger le lave-vaisselle.

Annie devait s'assurer que tous les couverts avaient été retirés avant que les plateaux ne lui parviennent.

Le premier jour, elle avait rapidement été submergée par le passage à grande vitesse des plateaux, et lorsque la zone d'élimination des déchets avait été bloquée pour la troisième fois par un couvert oublié, Wyatt avait vu rouge. Arrêtant le tapis, il avait rejoint le poste des couverts en brandissant une cuillère tordue.

— Qu'est-ce qui se passe ici ? Quel est l'idiot qui n'est pas fichu de retirer trois maudits couverts d'un plateau ?

Les yeux plissés de colère, Annie avait repoussé les cheveux de son visage avant de jeter une poignée de couverts dans un bac rempli de mousse à côté d'elle.

— Hé, gros malin, j'aimerais t'y voir ! Tu réussirais peut-être à tout retirer avec ce truc qui va à plus de cent à l'heure ?

Pas mécontents de faire une pause, leurs collègues de travail plus expérimentés s'étaient approchés pour assister à la dispute. Au même moment, des étudiants passaient la tête par la porte pour savoir pourquoi le tapis était arrêté et quelle était la cause de ces cris.

— Personne d'autre ne semble avoir de problème pour suivre le rythme ! lança Wyatt.

Il savait qu'il était de mauvaise foi, mais il avait passé une sale journée et, à l'approche des examens trimestriels, il n'était pas d'humeur à plaindre cette nouvelle recrue.

— Pauvre mec ! Personne ne veut de ce fichu boulot. C'est bien pour ça que j'ai eu ma place avant même de remplir le formulaire. C'est mon premier jour, alors *lâche-moi les baskets !*

Wyatt la regarda fixement.

— C'est ton premier jour et tu me passes un savon ?

— Et alors ?

Les veines de son cou se gonflèrent et elle frémit de colère.

Soudain, le ridicule de la situation avait frappé Wyatt. Rejetant la tête en arrière, il avait éclaté de rire. Très vite, tout le monde, à l'exception d'Annie, s'était esclaffé de bon cœur. Alors, sans pouvoir se retenir plus longtemps, elle s'était laissé emporter par la bonne humeur générale. Tous les employés pleuraient de rire, jusqu'au moment où le patron était arrivé en demandant pourquoi les plateaux s'accumulaient jusqu'au plafond.

Wyatt avait revu Annie une semaine plus tard, le jour de la Saint-Valentin.

— Salut…, lui dit-il aussitôt, comme si de rien n'était, alors qu'elle était en train de pointer.

Il en avait profité pour jeter un coup d'œil à sa carte de pointage.

— … Annie.

— Salut, répondit-elle en regardant sa carte à son tour. Wylie.

— Wyatt, corrigea-t-il.

— Peu importe.

Quelle bêcheuse ! pensa-t-il. Aussi innocemment que possible, il posa son bras sur l'horloge de pointage et annonça :

— C'est le quatorze, aujourd'hui. Où est le baiser de ma Valentine ?

Annie s'étrangla de rire :

— Tu rêves ? Je te connais à peine !

— Voyons... Nous avons déjà eu notre première dispute. Il est temps que l'on passe au baiser.

— Jamais de la vie !

Ses yeux verts rieurs démentaient le ton sévère de sa voix.

— Un tout petit !

Il avança les lèvres et attendit.

— Est-ce que tu te fais toujours autant d'illusions ? gloussa-t-elle.

— Seulement avec toi.

Il feignit de faire la moue.

Elle soupira profondément.

— Bon, d'accord. Un baiser. Sur la joue.

Il s'empressa aussitôt de tendre la joue.

— Je m'en contenterai.

Elle se dressa sur la pointe des pieds et à l'instant où elle allait l'embrasser, il tourna la tête et reçut son baiser sur les lèvres.

Annie se recula vivement et éclata de rire.

— Tricheur ! Je n'arrive pas à croire que je me sois laissé prendre à ce vieux truc !

En un éclair, elle tourna les talons et s'élança dans la cuisine industrielle, repoussant des chariots sur son chemin tandis qu'il s'élançait à sa poursuite. Tel un chat et une souris, ils sortirent de la cuisine en courant, et traversèrent la salle de restaurant presque vide à cette heure.

— Reviens ! appela Wyatt.

— Jamais !

Il avait admiré sa détermination. Elle était rapide, pour un si petit bout de femme. Elle avait jailli de la cafeteria et traversé l'allée comme une flèche pour s'engouffrer dans les dortoirs situés de l'autre côté de la rue. Des étudiants s'étaient arrêtés pour les observer lorsque Wyatt avait lancé :

— Un jour, je te donnerai un baiser dont tu te souviendras, Annie. Tu n'y échapperas pas !

Et c'est ce qu'il avait fait.

2.

Un mois après ce premier baiser de la Saint-Valentin, Wyatt était étendu sur une couverture dans le Memorial Union Quad, Annie lovée à son côté, la tête appuyée sur son sac à dos. Elle était suffisamment proche pour l'enflammer de désir, mais trop loin pour qu'il pût l'embrasser. Quel supplice ! Il laissa échapper, vers les nuages qui filaient dans le ciel, un long et profond soupir de frustration.

Annie était tout pour lui.

C'était une magnifique journée de printemps. Située à proximité de l'océan, l'Université de Prosperino s'agrémentait d'un campus en plein épanouissement, qui offrait une débauche de couleurs et de senteurs. C'était une journée idéale pour les amoureux. Pour s'embrasser. Pour se cacher derrière les buissons et flirter à en perdre la tête.

Wyatt retira son T-shirt pour améliorer son bronzage. Il jeta un coup d'œil à Annie. Elle était plongée dans son cours de biologie.

Ça alors ! Est-ce qu'elle n'arrêtait jamais d'étudier ? Il lui donnerait volontiers un cours particulier de biologie, si elle le souhaitait ! Il contracta son biceps et guetta sa réaction du coin de l'œil. Elle ne broncha pas.

Annie était une chic fille. Le genre de fille qu'un garçon présente à sa mère. Même à une mère dingue et perturbée, telle que Meredith, sa mère adoptive, était devenue depuis quelque temps.

Oui… Annie Summers était le genre de fille que l'on demande en mariage.

Demander en mariage ? Cette pensée d'un autre âge le choqua et il faillit s'étrangler. D'où sortait-il cette idée ?

Le bout de la langue entre les lèvres, Annie se frotta le front tout en surlignant au marqueur des paragraphes. Il gémit doucement. Aucun doute, il l'avait dans la peau...

Au-dessus de leur tête, des mouettes tournoyaient et criaient comme pour supplier les étudiants de laisser quelques miettes de leur repas. Annie adorait ces bestioles bruyantes. Elle leur donnait toutes sortes de noms gentils et les attirait avec des morceaux de sandwich. Elle n'en faisait pas tant pour lui, songea Wyatt, maussade.

Il qualifiait plus volontiers ces volatiles stupides et bruyants de « rats volants » et les chassait sans ménagement. Ils lui rappelaient trop ce qu'il avait vécu pendant son enfance. Une époque où il devait mendier pour pouvoir manger.

Il jeta un caillou à un oiseau qui s'approchait et, sans même tourner la tête, Annie tendit le bras et lui donna une tape sur la main. Il gloussa. Quelle chouette fille !

Cela faisait près d'un mois maintenant qu'ils se fréquentaient, et cela avait été le mois le plus long et le plus éprouvant de toute sa vie. Séduire cette jeune fille exigeait de la finesse. Du savoir-faire. Une patience empreinte de sagesse et de maturité.

Un véritable sacerdoce, en somme !

Sapristi ! Il serait moine avant d'être parvenu à ses fins. Jusqu'à présent, elle ne lui avait accordé que trois petits baisers pour lui souhaiter bonne nuit, et elle l'avait laissé lui prendre la main pendant une séance de cinéma. Il avait revécu un million de fois chacun de ces baisers furtifs. Mais ensuite, chaque fois, elle l'avait repoussé, en arguant timidement qu'elle avait besoin de temps.

Du temps ? Du temps pour quoi ? Il aurait bien aimé le savoir !

Avec une autre, il serait déjà passé à la vitesse supérieure. Mais pas avec Annie.

Annie était différente.

Annie était son âme sœur. Il l'avait su à l'instant où leurs lèvres s'étaient réunies, le jour de la Saint-Valentin. Le coup de tonnerre qui avait alors éclaté dans sa tête lui faisait perdre la raison au sujet de la très studieuse Annie Summers aux cheveux flamboyants, au tempérament enflammé et à l'éternelle bonne humeur.

— Annie ?

Il tendit le bras et écarta une boucle rousse de sa joue.

— Hmm... ?

Son marqueur fluorescent s'activa pour surligner un autre paragraphe digne d'intérêt.

— Une petite fête est organisée par mon dortoir ce soir. Ça te dit de venir ?

— Oui, pourquoi pas ?

— Tu es sûre ?

Annie acceptait de faire la fête ? Pendant une semaine de révision ?

— Mais oui ! Une pause ne me fera pas de mal, annonça-t-elle.

Prudemment, Wyatt s'abstint de tout commentaire.

Une pause ?

Il ne fallait pas qu'elle s'attende à un goûter d'enfants. Mais plutôt à une beuverie gigantesque... Une fiesta à tout casser ! Il bouillait d'impatience. En ce moment même, son voisin de chambre et deux autres copains qui venaient tout juste de fêter leurs vingt et un ans s'occupaient de l'approvisionnement en bière et autres victuailles. Il entendait déjà les accords des guitares électriques. A 22 heures, ce soir-là, les étudiants se balanceraient aux lustres. Il espérait seulement que, pour une fois, Annie se laisserait aller et en profiterait pleinement.

Mauvaise pioche !

A 22 heures, ce soir-là, Annie enfilait rageusement sa veste tachée de bière, claquait la porte et prenait la direction de sa chambre. Wyatt, tel le chiot battu qu'il se figurait être depuis quelques jours, la poursuivait en répétant son nom comme un amoureux éconduit.

— Annie !

— La ferme !

Lorsqu'il réussit enfin à la rattraper sur le trottoir, elle s'écarta brusquement. Dans le ciel, la lune était pleine. Peut-être fallait-il trouver dans l'astre lunaire une explication à la folie qui s'était emparée de son dortoir ce soir-là ? Wyatt vit distinctement le dégoût qui marquait le front sans défaut d'Annie.

— Mais attends ! Je vais tout t'expliquer… Je ne savais pas, je t'assure, que ce serait une telle… euh… débauche.

— Pauvre type !

— Non, crois-moi, c'est la vérité. Je me doutais bien que ce serait un peu déjanté mais pas autant que ça. Et ce type, avec la mousse à raser… Il plaisantait, je crois. En tout cas, je suis désolé. Tu me pardonnes ?

Elle ralentit légèrement. Il avait le souffle court. Lorsque cette fille s'énervait, il fallait la suivre ! Ils parvinrent au bout de l'allée qui longeait son dortoir, et Annie s'engagea dans la grand-rue en direction de la bibliothèque.

Elle allait certainement étudier, pensa-t-il amèrement. La lueur des réverbères traversait le feuillage des arbres et jetait des ombres sinistres sur le trottoir. De temps à autre, quelques fêtards du jeudi soir passaient. Leur démarche titubante, leurs paroles incohérentes et leurs chants grivois attisaient d'autant plus la colère d'Annie. Wyatt grimaça, imaginant que son visage devait être aussi enflammé que sa chevelure…

Et son corps.

Bon sang ! Il fallait qu'elle lui pardonne.

Epuisé, il la saisit par le bras, et quand elle essaya de se dégager, il la retint fermement.

— Annie…

Il respirait avec difficulté. Etait-ce l'effort fourni, ou l'effet de la colère d'Annie sur sa libido ? Il n'aurait pu le dire.

— Annie, je t'en prie… Je suis désolé.

Elle soupira.

— Je n'arrive pas à croire que tu aimes traîner avec ces… avec ces…

Elle chercha en vain le mot le plus cinglant. Le plus blessant. Le plus acéré.

— Brutes ? suggéra-t-il obligeamment.

— C'est ça ! explosa-t-elle. Ils sont minables. Tous plus minables les uns que les autres !

Elle agita les bras de façon frénétique.

— Tous machos et poivrots et...

Il l'attira à l'écart, dans un petit bosquet.

— Cinglés et tarés ?

Il la guida contre un arbre et la plaqua contre le tronc. La regardant droit dans les yeux, il leva un sourcil et grimaça.

— Fada et gaga ?

— Ne me fais pas rire !

— Pourquoi pas ?

— Je suis fâchée, et je veux le rester.

— Et si moi je ne veux pas ?

— Cours toujours ! lança-t-elle avec mauvaise humeur.

Il approcha ses lèvres des siennes et les caressa délicatement.

— Ne te fâche pas, chuchota-t-il contre sa bouche.

Le souffle d'Annie était doux. Mentholé, chaud et frais... C'était Annie.

— Je n'y peux rien, reprit-elle. Je veux que tu me respectes. Je ne veux pas que tu me traites comme une espèce de fêtarde, sans cervelle, et obsédée du sexe par-dessus le marché !

— Je suis désolé, murmura-t-il en déposant des baisers le long de sa joue jusqu'à atteindre cette petite place, derrière l'oreille, où elle avait déposé quelques gouttes d'un parfum musqué. Plus jamais je ne te traiterai ainsi, ajouta-t-il, conquérant sa bouche, parlant contre ses lèvres, son nez et son menton.

— Promis ? demanda-t-elle dans un souffle.

Elle respirait profondément, avec difficulté, tout comme lui.

— Promis.

— Quoi ? balbutia-t-elle en nouant ses bras autour de son cou. Qu'est-ce que tu m'as promis ? J'ai... Je ne sais plus.

— J'ai promis de te traiter comme une fêtarde obsédée du sexe.

— Parfait.

Elle ne semblait pas s'être aperçue de son erreur.

Wyatt n'était pas vraiment sûr de ce qu'il venait de dire, mais il était trop occupé à caresser les boucles rousses et soyeuses pour analyser la situation. Avant qu'elle pût protester, il appuya sa bouche contre la sienne et ils échangèrent leur premier vrai baiser. Un baiser profond et passionné dans lequel il mit toute son âme, sachant que, ce soir au moins, Annie ne lui donnerait rien de plus.

Il la serra un peu plus contre le tronc de l'arbre et appuya son corps contre le sien, remarquant combien les courbes de leurs corps s'harmonisaient. Toujours pressé contre elle, il fit glisser ses mains le long de son corps, saisit ses poignets et ramena ses bras au-dessus de sa tête.

Elle frémit sous lui, s'arc-bouta, lui rendit son baiser avec toute la passion dont il avait rêvé depuis l'instant où il l'avait aperçue. Des sons inarticulés provinrent du plus profond de sa gorge et elle se fondit en lui, bougeant la tête d'avant en arrière, cherchant, s'évertuant à mieux sentir sa bouche sous la sienne.

Il bougea en rythme avec elle, s'adaptant, anticipant chacun de ses mouvements, s'efforçant de ne faire plus qu'un avec elle. Il libéra ses bras et elle les noua autour de son cou. Puis il prit le visage d'Annie entre ses mains. Sous son assaut, Wyatt sentit qu'elle s'abandonnait, qu'elle devenait légère, sans résistance, sans peur d'aucune sorte. Il le savait parce qu'il ressentait les mêmes sensations.

C'était un sentiment divin qu'il n'avait jamais éprouvé auparavant. Un sentiment qu'il ne voulait jamais oublier. Un sentiment d'unité absolue, d'appartenance profonde.

Ce devait être ça, l'amour, se dit-il, l'esprit confus, tandis qu'il abandonnait sa bouche, le temps de prendre une bouffée d'air et de recommencer. Pas étonnant que tant de personnes passent leur vie à courir après… Et même s'il fallait remuer ciel et terre pour trouver ce trésor, il était partant.

Du bout des doigts, il suivit les contours de son visage, mémorisa le velouté de ses joues, l'union de leurs bouches, la caresse de ses cheveux merveilleux sur ses joues, son cou. Il respira l'air marin, le parfum des fleurs printanières, l'obscurité fraîche et veloutée, et la fragrance du parfum d'Annie qui se mêlait à l'odeur de bière et de vieux cuir. Il écouta la sérénade des criquets, la musique lointaine et les rires assourdis d'une fête, les bruits de pas de quelques rares piétons. Il s'efforça de graver dans sa mémoire tous ces détails, en comprenant que jamais il ne voudrait oublier ce moment.

En revanche, il y avait une chose que Wyatt n'avait pas compris à cet instant-là : ce baiser l'unissait à Annie Summers pour le restant de ses jours.

Même après qu'elle eut épousé un autre homme et eut porté ses enfants.

Wyatt se réveilla en sursaut et, pendant quelques secondes, il se demanda où il était. Lentement, il reprit ses esprits et il s'aperçut qu'il s'était endormi tout habillé. Une fois encore... Et il avait rêvé d'Annie. Une fois encore.

Le regard trouble, il roula sur le côté et regarda l'heure. 3 heures du matin. L'Hacienda del Alegria était plongée dans ce silence profond et cotonneux caractéristique de cette heure de la nuit. Il se redressa, retira son T-shirt et le jeta par terre.

Il était en nage.

Un mauvais rêve, probablement.

Seules quelques bribes lui revenaient à la mémoire mais, comme toujours, Annie tenait le premier rôle dans ses rêves. Il déboutonna son jean, le fit glisser sur ses hanches et l'envoya rejoindre son T-shirt par terre. Alors, atteignant l'interrupteur de la lampe de chevet, il plongea la pièce dans une obscurité comparable au désespoir de son cœur. Bien qu'il fût pleinement éveillé, il continuait de sentir le corps d'Annie serré contre le sien.

Comment avait-il pu être assez stupide pour la laisser partir ?

A cette époque, enfant issu d'une famille brisée, il voulait faire ses preuves, atteindre le sommet : il n'avait pas d'autre idée en tête.

Lorsque Annie avait dû quitter l'Université, au cours de sa première année, et rentrer chez elle après l'attaque cardiaque dont son père avait été victime, leur relation à distance avait commencé à se disloquer. Elle éprouvait un profond attachement pour les siens, et avait décidé que sa présence auprès d'eux était indispensable pour les aider à gérer l'entreprise familiale. La décision était déchirante, mais pour Annie, la famille passait toujours en premier.

En ce temps-là, en raison de son jeune âge, Wyatt n'avait pas compris le précieux cadeau que pouvait constituer une famille. Mais Annie savait. Pour Annie, la famille signifiait tout.

Et aujourd'hui, sept ans plus tard, Wyatt vivait avec ses regrets.

Son Annie en avait épousé un autre. Elle avait porté ses enfants et elle était aujourd'hui sa veuve. Elle aimerait probablement toujours le père de ses fils, mais jusqu'à son dernier soupir le souvenir qu'il avait d'elle ne quitterait pas son cœur.

Il aurait dû être le père de ses enfants. *Il* aurait dû être son seul et unique amour. Si seulement il n'avait pas tout sacrifié à cette carrière qui n'avait aucun sens et qui, tout compte fait, ne le satisfaisait pas !

Wyatt donna un coup de poing rageur dans son oreiller. Il savait qu'écouter la douleur de son cœur ne servait à rien, et il se prit à se demander à quoi pouvait ressembler Annie après toutes ces années...

Il émit un ricanement plein d'amertume.

Revoir Annie serait certainement la seule façon de la sortir définitivement de sa tête. De poursuivre sa vie. De comprendre que ce qu'ils avaient vécu était désormais mort et appartenait à l'histoire ancienne.

A présent, elle devait ressembler à une ménagère marquée par la vie. Une maman houspilleuse et perpétuellement fatiguée par ses deux petits démons identiques. Quelle chance il avait d'être libre comme l'air !

Et s'il se répétait suffisamment cette petite litanie, peut-être parviendrait-il à s'en convaincre.

Le lendemain matin, aux premières heures de ce samedi, après une rapide discussion avec Rand, Wyatt téléphona à la compagnie aérienne depuis sa chambre et réserva la dernière place sur un vol San Francisco-Seattle. A Seattle, il prendrait une correspondance jusqu'à Jackson Hole, et il arriverait à Keyhole pour l'heure du déjeuner.

Ensuite, il appela une compagnie de taxis pour qu'une voiture vînt le chercher devant la maison dans le quart d'heure suivant.

Au moins, maintenant, il avait une excuse valable pour se rendre à Keyhole. Il ne ressemblerait pas au perdant qu'il redoutait tant qu'Annie ne vît en lui. Il espérait qu'elle ne s'était pas remariée. Cent fois déjà, il avait voulu lui téléphoner pour prendre de ses nouvelles, mais avant cette histoire avec Emily, il n'avait jamais su comment faire irruption dans sa vie. Une vie qui semblait s'être poursuivie tranquillement sans lui, il devait bien le reconnaître. Il avait été bien incapable d'en faire autant de son côté.

Peut-être ce voyage lui donnerait-il enfin une chance de s'excuser, et peut-être pourrait-il, tout au moins, les rapprocher.

Pour une fois, Wyatt se réjouit des talents de marieuse de Lucy !

D'ici à quelques heures, il serait dans la même ville qu'Annie. C'était à peine imaginable. A cette idée, les battements de son cœur s'accélérèrent. Avec Rand, ils s'étaient mis d'accord pour taire la raison de ce voyage. Il était inutile de risquer de révéler la cachette d'Emily en mettant trop de personnes dans le secret.

Ses bagages bouclés, Wyatt s'était excusé auprès de Liza, Nick et Joe, qui prenaient leur petit déjeuner près de la piscine, et avait prétexté un rendez-vous professionnel inopiné dans le Midwest. S'ils furent tous déçus de son départ, ils se montrèrent néanmoins compréhensifs. D'autant qu'il promit à Liza de revenir à temps pour son mariage.

Personne ne douta que Wyatt donnait la priorité à ses affaires. Il le faisait toujours.

Personne ne soupçonna qu'il avait changé. Ou tout au moins, qu'il était en pleine métamorphose.

Avant de partir, il inspira profondément tous les parfums matinaux de cette maison, que tous appelaient « la maison de Joe » : le riche arôme du café venant de la cuisine et, portée par une brise chaude, la fragrance des roses à peine écloses dans le jardin où Nick et Liza se marieraient la semaine suivante. Malgré le parfum appétissant des brioches et des roulés à la cannelle sortis du four, Wyatt n'avait rien pu avaler. Il était trop tendu à l'idée de revoir Annie.

Au moment de sortir, il entendit des voix qui provenaient du salon, à côté du vestibule. Il s'arrêta, avec l'intention de dire rapidement au revoir à quiconque se trouvait là. Comme il poussait la porte, les voix s'enflammèrent, augmentant en intensité autant qu'en volume.

Oncle Graham et son fils Jackson se querellaient une fois encore.

Avec une grimace, Wyatt battit en retraite. Peu désireux d'attirer leur attention, il laissa la porte entrouverte et s'éloigna autant que possible. Il resta néanmoins dans l'entrée en attendant l'arrivée de son taxi. Malgré tous ses efforts pour ne pas écouter, il ne put qu'entendre la teneur de cette conversation.

La voix de Jackson était menaçante, sauvage.

— Papa, je te le demande une dernière fois. Tu fais des virements énormes sur ce compte anonyme parce que… quelqu'un te fait chanter ?

— Ne parle pas si fort. Quelqu'un pourrait t'entendre, grogna Graham.

— Et alors ? Le chantage est illégal ! Quelle que soit la personne qui te fait chanter, il est possible de l'arrêter. Prends un bon avocat. Je suis là. Et si tu ne veux pas de moi, la famille regorge d'avocats. Demande à Wyatt ou à Rand. Je suis sûr qu'ils trouveront un moyen de te sortir de ce guêpier dans lequel tu t'es fourré.

La voix de Jackson résonnait de l'autorité parentale dont un père use généralement envers son fils. Mais cettc fois, la situation était inversée.

Wyatt entendait le martèlement des pas de Jackson qui marchait nerveusement de long en large.

— Ce ne serait pas prudent.

— Pourquoi ? Tu n'aimes pas Wyatt ? Ni Rand ?

— Ça n'a rien à voir avec eux. Ni avec toi, d'ailleurs.

— Alors quoi ?

— C'est quelqu'un de la famille.

Le bruit de pas s'arrêta net.

A ces mots, Wyatt sentit les muscles de son cou se contracter. Abandonnant sa position derrière un palmier géant, il se rapprocha de la porte du salon, de façon aussi anodine que possible, et tendit l'oreille. Cette conversation devenait bien trop intéressante pour ne pas être écoutée.

Jackson semblait incrédule.

— Répète ?

— Le maître chanteur fait partie de la famille.

— Qui est-ce ?

— J'hésite à te le dire. Je ne voudrais pas ternir l'image d'une personne que tu considères comme une sainte.

Graham se voulait supérieur. Il était arrogant, même. Il ne possédait pas la moindre qualité, ni la distinction ou la maturité de son frère Joe.

— Tu m'ennuies avec tes devinettes, papa. Si tu m'annonçais la chute tout de suite ?

Une chaise racla le sol.

— Tu l'auras voulu. Il s'agit de Meredith.

Le silence s'installa.

— Tu as perdu ta langue ? ajouta-t-il au bout de quelques secondes.

— Pourquoi tante Meredith te ferait-elle chanter ? marmonna Jackson.

Graham sembla prendre un malin plaisir à lui assener la nouvelle :

— Parce que je suis le père de Teddy.

Wyatt entendit le cliquetis d'un briquet puis sentit une odeur âcre de cigare.

— Surpris ?

Il y eut un silence.

— Tu sembles légèrement troublé, mon garçon. C'est pourtant la vérité, toute la vérité, rien que la vérité, ironisa Graham.

Son rire cassant résonna.

— Aurais-tu du mal à croire que la parfaite épouse de Joe puisse prendre du plaisir dans mon lit ? A moins que ce ne soit la découverte de ce petit frère qui te déconcerte ?

Seul un son de pur dégoût sortit de la gorge de Jackson.

— Les dieux ne sont pas aussi parfaits qu'ils en ont l'air, n'est-ce pas ? reprit Graham.

Il tira longuement sur son cigare.

— Alors ? Est-ce que tu places toujours ton cher oncle Joe et sa chère épouse sur leur fichu piédestal ?

Wyatt réfléchit à toute vitesse. Plus que jamais, il était convaincu que Meredith n'était pas Meredith. La situation d'Emily devenait de plus en plus critique à chaque seconde qui s'écoulait. Manifestement, Patsy Portman avait élaboré un plan dangereux. Il devait rejoindre Keyhole au plus tôt. Le sentiment d'urgence lui serra la gorge, et son cœur se mit à battre à tout rompre dans ses oreilles. Il lui faudrait téléphoner à Rand et Lucy dès qu'il serait à Keyhole pour les mettre au courant.

Dehors, le Klaxon d'une voiture retentit. Son taxi venait d'arriver. Aussi silencieusement que possible, Wyatt saisit ses valises et s'échappa. Il ouvrit les doubles portes et respira profondément l'air frais. Sans un bruit, il tira les battants derrière lui, marcha jusqu'au portique et tendit ses bagages au chauffeur.

— A l'aéroport, s'il vous plaît.

Quittant le petit salon pour rejoindre la salle à manger, Jackson Coltons réprima la bile qui montait dans sa gorge. L'aveu de son père le répugnait bien plus qu'il ne pouvait le dire. Il n'était pourtant pas surpris outre mesure. Son père n'était pas un enfant de chœur.

Quant à Meredith… elle avait tellement changé !

Enfant, il adorait sa tante. En fait, il la considérait comme une seconde mère. Mais depuis quelques années, avant la naissance de Teddy pour être exact, Jackson avait remarqué les changements qui avaient profondément affecté sa personnalité. Pendant longtemps, tout le monde avait attribué les humeurs de Meredith à une dépression post-natale ou à l'accident dont elle avait été victime, mais Teddy avait huit ans, à présent, et l'accident remontait à une dizaine d'années. L'explication ne tenait plus.

Un jour, Liza lui avait fait comprendre qu'elle suspectait quelque chose de très étonnant, et même de tout à fait incroyable... A cette époque, Jackson avait balayé son idée insensée. A présent, en repensant à la théorie loufoque de sa sœur, un frisson le parcourut. Et si elle avait vu juste ?

Lorsqu'il entra dans la salle à manger, il découvrit avec consternation qu'il n'était pas seul.

Assise au bout de la table devant une tasse de café et un croissant, Meredith lisait les pages mondaines. Avec langueur, elle leva les yeux de son journal et dévisagea Jackson. Un léger sourire se dessina sur ses lèvres et elle se redressa sur sa chaise.

— Belle journée, Jackson, n'est-ce pas ?

— Vraiment, Meredith ?

Il sentait ses yeux rivés sur lui tandis qu'il prenait un petit pain et le coupait en deux.

— Quelque chose ne va pas, mon cher ? Tu sembles... tout chose.

Le couteau dans la main, Jackson se tourna pour lui faire face.

— Quelle coïncidence ! Je pourrais dire la même chose de toi.

Le visage de Meredith se durcit.

— Que veux-tu dire ?

— Rien d'autre que ceci : si tu ne cesses pas immédiatement d'extorquer de l'argent à mon père, je porte plainte.

Meredith éclata de rire, feignant la surprise.

— Jackson, mon petit ! Mais de quoi parles-tu ?

Jackson ne pouvait plus reculer. Meredith restait impassible.

— Je parle du fait que mon père achète grassement ton silence, parce qu'il redoute que Joe le raye de son testament s'il apprenait que son frère est le père de Teddy.

Sa voix s'était durcie. Il glissa le doigt sur la lame de son couteau pour en éprouver le tranchant.

— Mon père étant bien trop froussard pour dénoncer ta petite combine, je pense que ce plaisir me revient de droit.

D'un geste sec, il planta le couteau sur la planche à découper et regarda Meredith droit dans les yeux.

— Arrête de jouer ! Suis-je bien clair ?

Meredith blêmit et se mit à trembler si fort que sa tasse heurta la soucoupe.

— Ne me menace pas, Jackson Coltons.

— Ou alors… ? demanda-t-il d'un ton provocateur.

— Ou alors tu le regretteras, mon cher neveu.

— Je le regrette déjà.

Frémissant de rage, Meredith suivit Jackson du regard tandis qu'il quittait la pièce avec raideur, et elle se demanda avec angoisse ce qu'il savait exactement. Il ne pouvait pas savoir qu'elle était une usurpatrice. Personne ne le savait, à l'exception d'Emily, bien sûr, mais bientôt, même Emily ne serait plus un problème.

Meredith plongea la main dans la poche de son peignoir, à la recherche du flacon de calmants qui ne la quittait jamais. Après plusieurs tentatives, elle réussit enfin à sortir deux comprimés. Elle les avala précipitamment et les fit glisser avec une gorgée de café.

Ensuite, elle respira profondément, attendant que sa colère s'apaise et que les voix qui résonnaient dans sa tête se taisent enfin.

Elle inspira, puis expira.

Elle concentra son regard sur les aiguilles de l'horloge jusqu'à ce qu'une minute, puis dix se fussent écoulées.

Voilà. Maintenant, elle se sentait bien. Tout allait bien.

Elle entreprit d'élaborer un plan. A présent, il fallait qu'elle se débarrasse aussi de Jackson. Mais trop de tentatives d'assassinat en même temps risquaient d'attirer les soupçons. Non, il fallait trouver un autre moyen d'éliminer Jackson.

Quel dommage de ne pouvoir le faire jeter en prison ! Quel meilleur endroit où envoyer quelqu'un qui devenait gênant ? Elle était bien placée pour le savoir ! Elle y avait passé plus de temps qu'elle n'aurait voulu. Les tranquillisants commencèrent à agir, et elle se sentit envahie d'un sentiment de bien-être vaguement euphorique. La prison… Pourquoi pas ? Elle devait y réfléchir davantage. Ce n'était peut-être pas une mauvaise idée.

Mais pour quel motif ?

A moins que…

A moins de le faire accuser de la tentative d'assassinat de son oncle !

Une lueur jaillit dans l'esprit de Patsy.

C'était ça !

Son cœur se mit à battre plus vite. Elle le ferait accuser des *deux* tentatives d'assassinat contre Joe. Un lent sourire se dessina sur ses lèvres. *Eh oui, ma Patsy, tu es géniale !* se dit-elle mentalement.

Satisfaite d'elle-même, elle reprit la lecture des pages mondaines et acheva son café. Après une petite sieste, elle mettrait au point son projet pour éliminer définitivement Jackson et résoudre ainsi plusieurs problèmes insidieux.

Annie Summers, la bouche pleine de pinces à cheveux, se regarda avec horreur dans un miroir ancien au cadre doré. Ses cheveux ! Ses cheveux hirsutes, fourchus, crépus et indomptables, étaient dans l'un de leurs pires jours. Le soleil d'avril qui traversait une proche fenêtre nimbait sa chevelure et lui donnait l'air d'un ange déchu. Elle retroussa la lèvre supérieure pour accroître la ressemblance. C'était sans espoir ! Aucune quantité de spray, de gel ou de défrisant n'arriverait à les discipliner, pas plus que le séchoir ou les petites pinces. Le jour où serait inventé le produit miracle qui materait ses boucles rebelles, elle en achèterait une cargaison entière.

— Moah ? Amicks ? parvint-elle à articuler malgré les pinces.

— Ouais ?

Les voix assourdies de Noah et Alex parvinrent de l'arrière-boutique.

— Qu'eche que chous chaites ?

— On joue.

— Chous achez mis chos chauchures comme che chous l'ai chemanché ?

Annie retira les épingles de sa bouche et les planta dans son semblant de chignon.

Elle entendit des rires étouffés et le bruit d'une bousculade.

— Oui, on met nos chaussures !

— Vous les mettez à vos pieds ?

Elle grimaça en entendant leurs fous rires. Impossible de vivre avec deux gamins de cinq ans sans deviner quand ils préparaient une nouvelle bêtise.

— Euh… d'accord…, répondit Alex, porte-parole autoproclamé des jumeaux.

— Est-ce que vous êtes en train de les mettre, maintenant ?

— Euh… oui !

— Vous n'avez pas oublié vos chaussettes ?

Entendant une nouvelle hésitation, Annie poussa un soupir, posa sa brosse sur une causeuse Louis XIV et quitta la salle d'exposition du magasin d'antiquités, Summer's Autumn Antiques, qu'elle avait hérité de son père. Sur le pas de la salle de jeux qu'elle avait aménagée pour ses garçons, à côté de son bureau, elle s'arrêta brusquement, les yeux écarquillés.

— Mais qu'est-ce…

Exaspérée, elle secoua la tête.

— Qu'est-ce que vous faites en sous-vêtements ? demanda-t-elle en découvrant ses garçons à moitié nus. Alex, où sont tes vêtements ?

— C'était son idée, accusa Alex en montrant Noah du doigt.

— Même pas vrai !

— Si, c'est vrai !

— Quelle idée ? demanda Annie.

— On voulait habiller le chien pour te faire une surprise.

Chopper, le vieux labrador noir, surgit alors de derrière un coffre à jouets, une patte coincée dans la manche d'un pull. Trois de ses quatre pattes portaient chaussettes et chaussures. Sa queue, qu'il agitait pitoyablement, portait le slip d'Alex. Le pauvre Chopper était absolument pathétique.

Malgré ses efforts, Annie ne put réprimer une irrésistible envie de rire. Avec des cris de bonheur, les garçons se joignirent à elle et ils entamèrent une ronde dans la pièce, leurs petits corps minces bondissant et sautant joyeusement.

— Mais pourquoi avez-vous habillé Chopper ?

— Pas de chemise, pas de chaussures, pas de service, annonça Noah.

— Qu'est-ce que cela veut dire ? demanda Annie en regardant tour à tour les deux petits visages qui lui ressemblaient tant, tous les deux sincères dans leur explication.

— On voulait que Chopper vienne dîner avec nous...

— ... et il ne peut pas venir s'il n'est pas habillé...

— ... parce qu'Emma a dit que la pancarte dans la devanture disait...

Annie leva la main.

— D'accord, j'ai compris. Mais vous devez savoir que l'on ne sert pas les chiens au Mi-T-Fine Café. Même les chiens bien habillés comme Chopper.

Le visage d'Alex se décomposa.

— Jamais ?

— Jamais ? répéta Noah en écho.

— Non. Et puisqu'ils ne servent pas non plus les enfants déshabillés, dépêchez-vous de débarrasser ce pauvre chien de ces vêtements et habillez-vous. Je vous accorde cinq minutes, dit-elle en regardant sa montre, et si vous n'êtes pas prêts, j'irai sans vous. Et je commanderai des hot dogs.

— Des hot dogs ! crièrent les garçons.

En un temps record, ils furent prêts pour aller dîner en ville, c'est-à-dire au restaurant d'à côté.

Un carillon électronique teinta lorsque Wyatt poussa la porte vitrée du Mi-T-Fine Café. Le restaurant était bondé, et personne ne leva la tête pour voir qui venait d'entrer. De la cuisine, une voix merveilleusement familière l'accueillit.

— Installez-vous. J'arrive dans une minute.

C'était Emily. A l'entendre, elle semblait en forme et en bonne santé. C'était bon signe. Wyatt poussa un soupir de soulagement.

— Prends ton temps. Je ne suis pas pressé, répondit-il en se dirigeant vers une table libre.

Il prit place à côté de la baie vitrée qui ouvrait sur la pittoresque rue principale.

Keyhole était un paradis pour les touristes se rendant au parc national de Yellowstone. Nichée au cœur d'une vallée luxuriante, entourée de montagnes spectaculaires et majestueuses, la petite ville mêlait subtilement tradition et modernité pour créer une atmosphère des plus attirantes. Dans tout le pays, Keyhole était connue des amateurs d'antiquités pour ses magnifiques demeures aux façades victoriennes et pour les trésors historiques qu'elles recelaient.

Les skieurs, sur eau ou sur neige, randonneurs, grimpeurs, surfeurs, chasseurs et pêcheurs venaient pratiquer leurs sports préférés dans ce cadre enchanteur. Tout autour de la ville, les hôtels s'étaient implantés, et Keyhole prenait des allures d'Aspen en réduction. Il n'était plus inhabituel de croiser des célébrités venues faire du shopping ou descendre les pistes de ski. Heureusement, cette croissance était relativement lente, et Keyhole réussissait à préserver son atmosphère de petite ville.

Wyatt comprenait pourquoi Annie aimait cet endroit. Tout comme Prosperino, c'était un véritable paradis sur terre.

Il s'empara de la carte coincée entre le sucrier, la salière et la poivrière et s'intéressa au menu du jour agrafé sur la couverture.

A l'autre bout du café, Annie tenta de faire taire ses deux garçons chahuteurs. Elle inclina la tête et tendit l'oreille à l'affût de la voix de baryton. Sans résultat.

— Non, murmura-t-elle, c'est impossible…

Tendant le cou, elle scruta la rangée de tables, et essaya de regarder par-dessus les séparations et les dossiers élevés des banquettes.

Cette voix…

Le son de cette voix libéra en elle un flot d'émotions, à la fois agréables et douloureuses. Distraite par ses garçons qui se disputaient des crayons, Annie rejeta cette idée folle. Ce ne pouvait être que quelqu'un dont la voix ressemblait incroyablement à la sienne, songea-t-elle. Et elle passa ses mains le long de ses bras soudain frigorifiés.

— Alex, finis ton pain.
— Non, je le garde pour Chopper.

Annie leva les mains d'exaspération. Dès qu'il était question de Chopper, il était impossible de discuter avec les enfants.

— Bon, d'accord. Mais ne le mets pas dans la poche de ta chemise. Tu vas mettre de la moutarde partout.

— D'ac.

Il sortit le pain tartiné de moutarde et le plaça dans sa main.

— Tiens. Tu veux bien le mettre dans ton sac à main ?

Annie soupira légèrement et leva les yeux au ciel. Son corsage blanc pimpant s'ornait à présent d'une tache jaunâtre, qu'elle s'efforça de faire disparaître en la frottant avec une serviette en papier.

De la cuisine, Emily reconnut la voix familière et, bouche bée, elle passa la tête par le passe-plat, tordit le cou et jeta un coup d'œil. *Wyatt !* Après sept mois loin de tous, la visite d'un membre de sa famille la comblait ! Elle cligna des yeux pour réprimer des larmes de joie. Quelqu'un venait enfin à son secours et, aujourd'hui, on allait peut-être la prendre au sérieux.

Glissant les mains dans son dos, elle dénoua son tablier et fit signe à Roy penché au-dessus du gril. Helen préparait le café et Geraldine servait en salle. Ils pouvaient se passer d'elle quelques minutes.

— Je fais une pause, annonça-t-elle.

Emily se précipita dans la salle du restaurant aussi démodé que son nom. Les murs de planches brutes soutenaient des étagères chargées de bibelots anciens et de plantes. En fond sonore, une musique douce était diffusée par des haut-parleurs dissimulés dans le plafond. Le murmure des voix montait et baissait, se mêlant au cliquetis des couverts et au grésillement du gril.

Wyatt leva les yeux en l'entendant approcher.

— Emily !

Il tendit les bras vers elle, l'attira à côté de lui sur la banquette et déposa un baiser claquant sur sa tempe. Il la détailla du regard, l'examinant attentivement jusqu'à ce qu'il fût sûr qu'elle allait bien.

Il caressa ses cheveux châtains et, une fois encore, il repensa à son Annie.

Emily saisit une serviette en papier sur le présentoir chromé posé sur la table et la pressa contre sa bouche.

— Comment as-tu fait pour me retrouver ?

— Rand et Austin ont suivi ta trace.

— Je vous aurais bien appelés, mais c'était trop dangereux.

— Je sais.

— Vraiment ?

Elle porta la serviette à ses yeux et lui adressa un sourire humide.

— Alors, tu me crois ?

— Nous te croyons tous.

— Oh, enfin ! balbutia-t-elle.

— Mieux vaut tard que jamais, non ?

— Oui, bien sûr…

Le sourire hésitant, elle se plaça dos à l'allée. Tournée vers Wyatt, elle s'accouda à la table pour se créer un espace privé.

— Je n'ai pas beaucoup de temps. Le samedi midi, c'est un peu la bousculade.

— Pas de problème, répondit Wyatt en hochant la tête. Nous pourrons parler plus tard. Je compte rester ici quelques jours…

— Vraiment ?

Emily poussa un profond soupir.

— Je meurs d'envie d'avoir des nouvelles de la famille.

— Eh bien, j'ai beaucoup à t'apprendre, à plus d'un titre, dit-il en tapotant une enveloppe qu'il avait posée sur la table devant lui.

Il la poussa vers Emily et elle la regarda fixement.

— Qu'est-ce que c'est ?

— Les informations que tu attendais. Ça te fera un peu de lecture avant de dormir ce soir, je te le promets.

— C'est au sujet de maman ?

— Et de sa sœur jumelle. Une femme du nom de Patsy Portman.

— Une sœur jumelle…, murmura Emily. J'en étais sûre !

— Nous avons découvert que tu avais raison au sujet de Patsy. Elle a manifestement pris la place de Meredith.

— C'est arrivé le jour de l'accident… Je le savais. La voiture a quitté la route et maman a été éjectée…

— Emily ? Est-ce que tu sais ce qu'est devenue Meredith ?

— Je ne m'en souviens pas, murmura-t-elle. C'est arrivé si vite, et cela remonte à si loin ! Je pleurais et j'étais sonnée. J'avais mal au crâne et maman saignait abondamment de la tête. Je crois que j'ai dû m'évanouir. Mais je me rappelle avoir vu une autre femme qui ressemblait étrangement à maman. Ensuite, je ne me souviens plus de rien jusqu'à mon arrivée aux urgences. Je ne comprenais pas pourquoi elle ne saignait plus du tout…

Wyatt approuva lentement.

— Meredith a dû disparaître entre le lieu de l'accident et l'hôpital, pendant que tu étais inconsciente.

S'emparant d'une autre serviette en papier, Emily se moucha.

— Mmm… C'est ce que j'ai toujours pensé. Mais personne ne m'a jamais crue jusqu'à maintenant.

— Nous te croyons, à présent. Nous sommes avec toi et nous voulons t'aider.

— Et maman ?

Wyatt glissa un bras autour de ses épaules et attira sa tête au creux de son épaule.

— Nous faisons des recherches. Austin est sur une piste, comme on dit.

Il essaya d'ajouter une note de confiance dans sa voix.

— Que s'est-il passé exactement la nuit où tu as disparu ?

La voix haletante, elle lâcha :

— Quelqu'un a essayé de me tuer. Et a bien failli réussir.

3.

Wyatt poussa un long et profond soupir. Entendre la vérité dans toute sa cruauté était une véritable épreuve.

— J'ai besoin d'aller prendre l'air. Tu viens ?

Emily jeta un coup d'œil vers le comptoir. Geraldine et Helen devaient servir encore quelques clients, mais aucun autre n'était entré depuis qu'elle s'était assise avec Wyatt.

— Oui, je pense que c'est possible. Mais pas très longtemps.

Elle glissa dans la poche de son pantalon l'enveloppe que Wyatt lui avait apportée et appela sa collègue.

— Geraldine ?

— Oui ?

Quand elle aperçut les traces de larmes sur les joues d'Emily, la jeune femme lança un regard noir à Wyatt.

— Je fais une petite pause, dit Emily. Vous pouvez vous passer de moi ?

Geraldine fit du regard le tour du restaurant avant de fixer Wyatt, l'air suspicieux.

— Quelques minutes, ça ira.

— Je vous la ramène tout de suite, assura Wyatt. Ne vous inquiétez pas, elle est en de bonnes mains.

Geraldine parut sceptique.

La clochette tinta de nouveau quand Wyatt ouvrit la porte, et il s'effaça pour laisser passer Emily.

— Noah ! Alex ! Vous voulez bien vous taire une seconde !

Annie tendit l'oreille au-dessus du vacarme que faisaient ses enfants.

— Pourquoi ? demanda Alex.

— J'essaie d'entendre quelque chose, répliqua-t-elle d'un ton brusque.

Serrant le pouce et l'index, elle leur mima l'ordre de clore leurs lèvres. Noah trouva ses étranges gesticulations du plus haut comique, et il partit d'un rire en cascade.

— Entendre quoi ? insista le petit garçon.

Annie écrasa le visage contre la vitre et scruta l'extérieur.

Noah la tira par le bras.

— Qu'est-ce que tu vois ?

Le soupir exaspéré d'Annie embua la vitre.

— Rien.

Wyatt entraîna Emily par la main et l'emmena s'asseoir sur un banc devant le magasin Summer's Autumn Antiques. Il prit place à côté d'elle et glissa une fois encore un bras autour de ses épaules.

— Raconte. Quelqu'un a essayé de te tuer ?

Elle hocha la tête.

La mort dans l'âme, Wyatt déposa un baiser sur ses cheveux.

— Je comprends bien que ce soit difficile pour toi, mais plus tu m'en diras et plus nous pourrons t'aider.

Emily regarda autour d'elle. Lorsqu'elle fut certaine que personne ne pouvait l'entendre, elle reprit le cours de son récit.

— Je montais me coucher lorsque j'ai remarqué que la porte de ma chambre était presque fermée. Tu te rappelles, quand nous étions petits… Papa ne voulait pas que la porte de nos chambres soit fermée avant que nous soyons couchés. En d'autres circonstances, j'aurais seulement pensé qu'Inès s'était trompée ; mais vu ce qui s'était passé à la fête d'anniversaire de papa quelques mois plus tôt, je me suis méfiée…

Wyatt connaissait tous les détails de la tentative d'assassinat de Joe. Cette nuit-là, Rand l'avait appelé immédiatement, terrifié.

« Papa venait de prononcer un discours. Il y avait pas mal de confusion, avait dit Rand. Une avalanche de ballons et de confettis... Soixante colombes blanches volaient en tous sens. Ensuite, papa a levé son verre et on a entendu un coup de feu. Son verre a éclaté... J'étais pétrifié. Tout le monde l'était. Et puis, il y a eu des cris. Au début, on a cru... on a cru qu'il était mort ; mais Dieu merci, la balle n'a fait que lui érafler la joue. Personne d'autre n'a été blessé. Papa a pris maman par la main et l'a plaquée au sol pour la protéger... »

Cette nuit-là, Wyatt avait frémi en entendant les paroles terrifiantes de Rand. Exactement comme maintenant. Quelle ironie ! songea-t-il. Joe avait peut-être sauvé la vie de la seule personne qui souhaitait sa mort.

La voix tremblante d'Emily le ramena à la réalité.

— Je suis entrée dans ma chambre sur la pointe des pieds, mais avant même de le voir, je savais que je n'étais pas seule. Il y avait quelqu'un avec moi, et j'ai eu peur. J'ai tout de suite pensé que l'assassin était revenu pour tuer papa.

Wyatt sortit un mouchoir de sa poche. Il tamponna le menton d'Emily et essuya les larmes qui roulaient sur ses joues. Plusieurs passants leur jetèrent un regard curieux.

— Prends ton temps, lui dit-il d'un ton apaisant. Tu sais, si c'est trop pénible, on peut remettre ça à plus tard.

— Non !

Emily secoua vigoureusement la tête.

— Cela fait des mois que j'attends d'en parler. Je veux tout te dire. C'est juste... difficile.

— Je sais.

— Quand j'ai pu mieux voir, à travers l'obscurité, j'ai distingué un homme, un inconnu, qui se cachait derrière les rideaux, près du lit. Et il avait un couteau, Wyatt...

Elle leva les yeux vers lui, et il la serra un peu plus contre lui.

— J'ai eu peur de m'évanouir, mais j'ai quand même réussi à descendre l'escalier et je suis sortie de la maison. Il...

Elle déglutit avec difficulté.

— Il m'a suivie.

Wyatt ferma les yeux.

— Qu'est-ce que tu as fait ?

— Je me suis enfuie, j'ai couru, et soudain je me suis rappelé l'alcôve où Liza et moi nous nous cachions quand nous étions petites. L'entrée est quasiment impossible à découvrir pour qui ne sait pas où elle se trouve.

Wyatt était rempli d'admiration pour sa sœur.

— Eh bien ! Tes réflexes t'ont sauvé la vie.

— Ce doit être l'instinct de survie. Oh ! Wyatt, je n'ai jamais eu aussi peur de toute ma vie. Je me suis cachée dans l'alcôve jusqu'au petit matin. Je ne pensais qu'à me cacher. N'importe où. Ensuite, un chauffeur routier très gentil m'a prise en stop. Il allait dans le Wyoming. Wyatt ! C'était comme un signe ! Papa y a habité pendant son enfance quand les McGrath l'ont accueilli. Alors, je suis montée dans ce camion et je suis arrivée ici.

Wyatt montra la rue d'un geste de la main.

— La ferme des McGrath n'est qu'à quelques kilomètres d'ici, à Nettle Creek.

Le sourire d'Emily était triste.

— Je sais.

— Et maintenant ? Est-ce que tu vas bien ?

— Je fais encore de mauvais rêves. Et je n'utilise pas mon nom de famille. Ici, tout le monde me connaît sous le nom d'Emma Logan.

Elle leva les yeux vers Wyatt avant d'achever :

— Mais je crois que je suis en sécurité, ici.

— Eh bien, ne changeons rien, si tu veux bien, Emily… Logan.

— D'accord…, murmura-t-elle.

— Il faut peut-être que je te laisse retourner travailler. Mais écoute… J'ai pris une chambre dans ce petit hôtel, de l'autre côté de la rue.

Il montra du doigt The Faded Rose, un bâtiment pittoresque de couleur jaune pâle dont le porche était agrémenté de vasques de fleurs.

— Chambre 102. Appelle-moi si tu as besoin de quoi que ce soit. D'accord ?

Wyatt se leva et l'aida à se mettre debout.

— Promis.

Elle glissa un bras autour de sa taille tandis qu'ils retournaient vers le restaurant.

— Wyatt, tu ne peux pas savoir à quel point je suis heureuse que tu sois là.

— Moi aussi. Je suis content d'être ici avec toi.

Il lui ouvrit la porte et Geraldine remarqua aussitôt la mine défaite d'Emily, ses yeux gonflés et les traces de Rimmel sur ses joues. Elle se renfrogna.

— Geraldine, je reviens dans cinq minutes. Tout va bien, ne t'inquiète pas.

— J'ai l'impression qu'elle ne m'aime pas beaucoup, murmura Wyatt.

— Ça lui passera.

Emily fit le tour du comptoir, versa une tasse de café et fit signe à Wyatt de prendre place.

— Est-ce que tu veux manger quelque chose ?

— Puisque tu en parles, je meurs de faim. Le menu du jour sera parfait. Et Em... Je sais que cela va être difficile, mais il faut que tu continues à te cacher, le temps que Rand et Austin réunissent suffisamment de preuves contre Patsy pour prévenir la police.

— Comme je la plains ! Elle a dû beaucoup souffrir pour en arriver à de telles extrémités...

L'admiration que Wyatt portait à sa jeune sœur s'intensifia. Seule Emily pouvait éprouver de la compassion pour la femme qui avait essayé d'attenter à sa vie. Une fois encore, elle lui rappelait Annie.

— Oh, une chose encore... Je sais que Keyhole est une ville en pleine expansion, mais je me demandais si tu ne connaissais pas une certaine Annie Summers. Rand m'a dit qu'elle avait gardé son nom de naissance après son mariage. Il m'a dit aussi qu'elle avait un magasin d'antiquités dans le coin.

— Oui, bien sûr. Je connais Annie, répondit Emily en hochant la tête.

— Tu… tu la connais ?

Il sentit son estomac se nouer.

— Bien sûr. Keyhole n'est pas si grand. Elle possède le magasin d'antiquités juste à côté, Summer's Autumn Antiques. J'y ai travaillé quelques fois pendant mes jours de congé. Annie est l'une de mes amies. D'ailleurs, elle est là-bas, annonça Emily en montrant du doigt l'autre bout du restaurant. Elle vient déjeuner avec ses jumeaux, Noah et Alex, pratiquement tous les samedis.

Wyatt se sentit transpercé par un éclair tel qu'il n'en avait plus ressenti depuis ce baiser de la Saint-Valentin, voilà si longtemps. Lentement, il se tourna dans la direction que lui indiquait Emily et, pour la première fois depuis des années, ses yeux se posèrent sur le merveilleux visage d'Annie Summers. A son grand soulagement, elle était bien trop occupée pour le remarquer, et il prit le temps de la regarder attentivement.

Elle n'avait absolument pas changé.

Elle n'avait ni les cheveux gris, ni l'allure fatiguée, ni les traits tirés comme il voulait se l'imaginer. Non, elle était toujours cette jeune femme à la peau douce et aux cheveux flamboyants dont il était tombé amoureux jadis. D'ailleurs, si c'était possible, elle était encore plus séduisante qu'auparavant. La maternité lui allait bien. Même si elle avait à présent deux enfants, elle était restée aussi mince qu'autrefois. Les lignes de son visage avaient perdu leurs rondeurs enfantines : elles étaient désormais plus anguleuses et féminines, soulignant la beauté de ses yeux et l'arc plein de ses lèvres.

De loin, il la regarda s'occuper des deux bambins espiègles qui ne pouvaient être que ses fils. Ils avaient inscrit un sourire permanent aux coins de ses yeux et de sa bouche, et elle semblait satisfaite de sa nouvelle vie. Plus que satisfaite… *Heureuse*.

Soudain, il se mit à douter de lui-même, et son cœur se serra. Manifestement, elle ne semblait pas se languir loin de lui autant qu'il s'était langui d'elle. Il lui suffit de l'observer pour deviner qu'elle n'était pas prête à renouer avec le passé et les émotions qui s'y rapportaient.

Il la regarda tremper le bout de sa serviette dans son verre d'eau et essuyer les traces de moutarde sur les deux petits visages couverts de taches de rousseur. Les enfants résistèrent à ses tentatives avec la détermination propre à leur âge. L'un d'eux s'empara d'une serviette, essuya quelque chose sur le visage de sa mère, et elle éclata de rire.

Le souffle court, Wyatt ferma les yeux. Le rire d'Annie avait provoqué une réaction explosive en lui, et il dut lutter pour respirer. Ainsi, rien n'avait changé. Les sept dernières années s'envolèrent d'un coup, et il fut contrarié de découvrir qu'il était toujours fou amoureux d'elle, autant que le jour où ils s'étaient dit au revoir.

Les mains crispées sur le comptoir, il la regarda rassembler ses affaires et guider ses enfants jusqu'à la caisse pour régler l'addition. Elle n'était qu'à quelques pas de lui. Vêtue plus élégamment qu'elle ne l'était pendant ses années de fac, elle portait un pantalon kaki et un chemisier blanc. Ses magnifiques cheveux étaient relevés en chignon dont quelques fines mèches bouclées s'étaient échappées, défiant aujourd'hui encore ses efforts pour les maîtriser.

Elle signa le reçu de sa carte de crédit, appela ses garçons et sur un *ding-dong*, elle disparut.

— Où va-t-elle ? s'étonna Wyatt à voix haute.

— Travailler. Dans le magasin d'à côté. Nous étions assis juste devant, il n'y a pas une minute. Le samedi, Annie travaille jusqu'à 17 heures.

L'air égaré, Wyatt se leva. Il se pencha en avant et déposa un baiser sur la tempe d'Emily.

— Comment connais-tu Annie ? demanda-t-elle.

— Toi aussi, répondit distraitement Wyatt tout en posant un billet sur le comptoir.

— Moi aussi, quoi ?

— Tu m'appelles ce soir, d'accord ?

Elle le regarda partir, un froncement surpris barrant son front.

— Attends une seconde. Où vas-tu ? Et ton déjeuner ?

— Merci, Em.

Il était déjà parti.

*
* *

Qu'est-ce que tout cela voulait dire ? Perplexe, Emily se pencha par-dessus le comptoir et regarda Wyatt passer à grandes enjambées devant le restaurant, à la poursuite d'Annie Summers. Elle retira le crayon planté dans son chignon et se frotta pensivement la tête avec le bout recouvert de gomme. L'expression de son visage avait été tellement étrange, lorsqu'il avait regardé Annie ! A croire qu'ils se connaissaient déjà... Mais c'était impossible, Wyatt n'ayant jamais vécu dans le Wyoming.

Le carillon de la porte d'entrée interrompit le cours de ses pensées.

Toby Atkins, l'officier de police judiciaire de Keyhole, s'arrêta sur le pas de la porte. Après un rapide coup d'œil circulaire, son regard se posa sur Emily. Son visage séduisant aux rondeurs presque enfantines s'illumina immédiatement, et Emily lui rendit son sourire.

Elle s'empressa aussitôt de lui servir la tasse de café qu'il commandait toujours.

— Je vous sers une part de tarte ? demanda-t-elle tandis qu'il s'asseyait sur un tabouret en face d'elle. Nous avons votre préférée, la tarte au citron meringuée.

— Avec plaisir.

Le regard attendri, Toby ne la quittait pas des yeux tandis qu'elle coupait une part de gâteau, prenait une fourchette et posait l'assiette devant lui.

— Alors, Toby, quelles nouvelles apportez-vous ?

— Pas grand-chose. Je dois vous dire qu'il y a eu quelques petits cambriolages du côté de Nettle Creek. Alors, je vais passer plusieurs fois devant chez vous pendant mes rondes de nuit, dans les jours qui viennent. J'ai pensé que ce serait une bonne idée, mais je ne veux pas que vous vous inquiétiez si vous me voyez.

— Je ne m'inquiète jamais lorsque vous êtes en service, Toby, dit-elle doucement et sincèrement.

Il rougit un peu à ces mots.

Emily savait bien que Toby était amoureux d'elle. Cela se voyait dans son sourire, dans la façon dont il la regardait travailler, dans l'intérêt qu'il lui portait.

Maintenant encore, elle sentait ses yeux bleu profond qui suivaient de façon protectrice chacun de ses mouvements. Emily surprit son regard, et ils se dévisagèrent quelques secondes avec gêne et timidité. Il était tellement adorable... Elle se sentait soulagée et reconnaissante qu'il se préoccupât à ce point de sa sécurité.

Quant à lui rendre ses sentiments, Emily aurait souhaité le pouvoir. Toby était un homme aussi sympathique qu'agréable. Hélas, songea-t-elle avec mélancolie, elle ne l'aimait tout simplement pas.

Annie Summers sentit une bouffée de chaleur enflammer ses joues tandis qu'un frisson paradoxal la parcourait de la tête aux pieds. Prise de vertige, elle fit plusieurs pas en arrière, jusqu'à heurter l'accoudoir richement sculpté d'un canapé auquel elle s'accrocha pour ne pas tomber.

La silhouette de l'homme qui se tenait sur le pas de la porte ressemblait tellement à Wyatt Russell ! Mais l'ombre qui tombait sur le visage qu'elle connaissait si bien la laissait dans le doute.

Non, pensa-t-elle, c'est insensé ! Wyatt ici, à Keyhole ? Impossible... Il travaillait à Washington DC, où il se forgeait une réputation d'avocat hors pair. Il n'avait certainement rien à faire dans le Wyoming. Son imagination lui jouait un tour, il n'y avait pas d'autre explication. Elle pensait à lui uniquement parce qu'elle croyait avoir entendu sa voix au restaurant.

Rassemblant tout son sang-froid, elle arbora son sourire le plus professionnel, arrangea sa coiffure indisciplinée et avança vers la porte d'entrée.

— Bonjour ! Vous désirez ?

— Annie ?

Elle eut le souffle coupé. Non seulement cet individu ressemblait à Wyatt, mais en plus il connaissait son nom !

— Oui ?

Plus déconcertée que jamais, elle cligna des yeux à cause du soleil, et fit lentement un pas de côté pour se placer dans l'ombre et mieux voir.

— Quel plaisir de te revoir !

Elle aurait aimé pouvoir dire la même chose.

— Je... euh..., parvint-elle seulement à balbutier.

— C'est moi.

C'était Wyatt. La blessure de son cœur s'ouvrit de nouveau. Elle se sentit piégée. Vulnérable et désorientée.

— Bonjour.

— Bonjour...

Il s'avança vers elle, entra dans l'ombre, et elle comprit soudain que la personne en face d'elle était bien le Wyatt d'autrefois. A l'exception de quelques rides au coin des yeux et de la bouche, il était exactement le même que le jour où ils s'étaient séparés. Ses bras musclés croisés sur sa poitrine puissante, il s'appuyait à une armoire de cet air presque suffisant qu'elle connaissait si bien.

Cependant, sous sa posture pleine d'assurance perçait la même incertitude qu'elle avait devinée autrefois. Elle reprit un peu de courage tandis qu'une multitude d'émotions s'affrontaient dans son esprit. Elle ressentait une joie intense mêlée d'une agitation extrême. Une agitation à la limite de la colère.

Comment osait-il faire irruption dans sa vie alors qu'elle avait mis tant d'années à le chasser de son cœur ?

Sans même prendre la peine de téléphoner d'abord ?

Elle porta ses mains à ses cheveux, coiffant, ébouriffant, aplatissant. L'audace de Wyatt était incroyable ! Il se permettait de jaillir de nulle part, et se montrait toujours aussi irrésistible...

Eh bien, il allait être reçu en conséquence ! Au cours de toutes ces années, elle avait eu suffisamment de temps pour affirmer ses défenses. Elle regretta de n'avoir pas rajusté son rouge à lèvres, ni changé son corsage où se devinait toujours la tache de moutarde. Grand Dieu, elle devait avoir une allure ! Pour un peu, elle aurait filé se cacher sous la minuscule tente de ses garçons, dans la salle de jeux, d'où lui parvenaient leurs petites voix rieuses et excitées.

Ils étaient seuls avec les enfants. Le magasin était vide, entièrement silencieux. Annie était sûre que Wyatt pouvait entendre les battements affolés de son cœur.

— Qu'est-ce qui t'amène ici ? osa-t-elle demander quand elle eut enfin retrouvé sa voix.

— J'avais des affaires dans le coin, et je me suis dit que je devais m'arrêter pour te dire bonjour.

Des affaires dans le coin ? Des affaires à *Keyhole* ? Elle n'en croyait pas un mot.

— Me dire bonjour ?

— Et te demander comment tu allais.

— Mais je… je vais bien.

Du moins allait-elle bien jusqu'à son arrivée, une minute plus tôt.

D'un geste du bras, il désigna la salle d'exposition de son magasin.

— Alors, c'est ici que tu travailles ?

Elle crut percevoir de la condescendance sous le ton agréable de sa voix. Il avait réussi, alors qu'elle n'avait jamais quitté Keyhole. Au lieu de devenir la coqueluche des galeries d'art new-yorkaises, ses tableaux restaient accrochés aux murs du magasin familial, à côté d'œuvres d'autres artistes amateurs.

— En effet. Je tiens le magasin et je restaure des meubles. Et lorsque j'ai un peu de temps libre, je peins.

— Tu as toujours eu du talent, Annie. Beaucoup de talent.

— Je… Merci.

Mais pas assez pour franchir les frontières de Keyhole, devait-il penser. Elle passa sa langue sur ses lèvres sèches et, redressant les épaules, s'efforça de paraître un peu plus grande. Plus confiante et plus sûre d'elle.

Wyatt se redressa, lui aussi, et commença à déambuler, regardant à droite et à gauche, s'arrêtant pour prendre un objet puis le reposer. Elle se demanda ce qu'il pensait de sa petite boutique. Epiant chacun de ses mouvements, elle essaya de percevoir ce qu'il voyait.

Pour la première fois, elle remarqua les jouets que les garçons avaient laissés traîner un peu partout, et les touffes de poils noirs que Chopper dispersait dans les allées où il aimait dormir.

Dans un rayon de soleil, des toiles d'araignées qu'elle n'avait jamais remarquées apparurent nettement, tout comme la couche de poussière qui recouvrait… absolument tout ! Les miroirs à hauteur des bambins arboraient traînées et traces de doigts. Seigneur ! Ne faisait-elle donc jamais le ménage ? Elle ferma les yeux pour dissimuler son dégoût.

Summer's Autumn Antiques était minable. Une petite boutique de vieilleries. Cela ne ressemblait certainement pas aux magasins que Wyatt devait fréquenter à Washington DC.

Une fois encore, Annie regretta de ne pas avoir vérifié son apparence dans le miroir.

— Tu as beaucoup de travail le samedi ? demanda-t-il sur le ton de la conversation, en se tournant vers elle.

Son cœur fit un bond dans sa poitrine. Elle qui croyait être devenue insensible à la moue de sa lèvre supérieure…

— Un peu. C'est la fin de la saison d'hiver et le début de la saison d'été. Disons que… nous sommes entre deux saisons.

Il ne l'écoutait pas, elle en était sûre. Il la regardait fixement, absorbant le moindre détail. Il ne pouvait pas ne pas avoir vu la tache de moutarde et sa coiffure des mauvais jours.

Sa gorge se serra. Le cliquetis de plusieurs horloges sembla soudain anormalement bruyant. Ils restèrent immobiles, face à face. Après un moment qui sembla durer une éternité, des clients entrèrent et commencèrent à déambuler dans le magasin, parlant à voix basse et regardant les objets exposés.

— Tu étais au café à l'heure du déjeuner ? demanda-t-elle.

— Oui, j'y étais. Tu m'as vu ? Tu aurais dû venir me rejoindre.

— Je ne t'ai pas vu. Je t'ai entendu… Ou plutôt j'ai cru t'entendre… Il y avait beaucoup de bruit.

Une explosion de rires, accompagnée des aboiements sonores de Chopper, emplit l'arrière-boutique. Dans un état second, Annie se demanda ce que ses enfants étaient encore en train d'inventer. Mais, figée sur place, incapable de réagir, elle ne pouvait le dire.

— Tu as des enfants, constata Wyatt, semblant oublier le passé pour se concentrer de nouveau sur le présent.

— Oui, deux. Et toi ?

— Aucun. Je ne suis pas marié.

De nouveau, le cœur d'Annie s'emballa.

— Vraiment ?

— Je n'en ai jamais ressenti le besoin. Je n'ai jamais trouvé le temps. Je n'ai jamais été…

Il haussa les épaules.

— … vraiment amoureux.

Elle imita son haussement d'épaules.

— Tu as encore le temps.

— On a toujours le temps.

Ne sachant plus que dire, Annie restait immobile, le regard affolé. En dépit de leurs efforts, leur conversation restait difficile, et souffrait de la tension des années et de leur rupture maladroite.

A l'instant où elle sentait qu'elle ne supporterait pas une minute de plus ce stress émotionnel, ses garçons, hurlant de rire, jaillirent de la salle de jeux. Ils traînaient le pauvre Chopper par…

Mortifiée, Annie se raidit en regardant la scène.

Les enfants tiraient Chopper par la bretelle d'un soutien-gorge.

— Regarde, maman ! Chopper a un chapeau ! s'exclama Alex en montrant du doigt le bonnet du soutien-gorge dont ils avaient coiffé la tête du chien.

Le pauvre animal, l'air vaguement amish et résolument pitoyable, jeta un regard en direction d'Annie, comme pour lui demander de l'aide. Le second bonnet était coincé sous son menton et, à la manière d'un saint-bernard, les enfants y avaient coincé une bouteille de jus de fruits.

— C'était son idée, cria Noah en montrant son frère du doigt.

— C'est pas vrai ! C'était ton idée.

— Non !

— Si !

Remarquant les joues enflammées de leur mère, ils poussèrent des cris perçants et dansèrent de joie.

Wyatt regarda tour à tour le chien, les enfants et Annie. Comme le jour de leur première rencontre, il jeta la tête en arrière et rit à gorge déployée. Au début, Annie ne vit pas l'ironie de la situation, mais plus ils s'esclaffaient et plus cela devint drôle. Bientôt, elle rit de bon cœur avec eux.

— Ça suffit, les enfants, interrompit-elle soudain. Vous allez ramener ce chien dans l'arrière-boutique, le débarrasser de cet accoutrement que vous rangerez dans mon sac de gym où vous l'avez trouvé. Et, ordonna-t-elle tandis qu'ils obéissaient à regret, ramassez un peu vos jouets !

Rouspétant et ronchonnant, ils disparurent dans la salle de jeux.

Wyatt souriait encore.

— Ils sont adorables. Ils te ressemblent.

— J'étais bien mieux élevée qu'eux.

— Ça, ça m'étonnerait ! Tu dois t'en souvenir...

Annie sourit, trouvant du réconfort au souvenir agréable de leur relation passée.

— Wyatt ? Dis-moi sincèrement... Pourquoi es-tu ici ?

— J'ai vraiment à faire dans le coin. Mais, il y a aussi quelques petites choses que je dois...

Une cliente sortit du magasin et Annie lança :

— Merci de votre visite. A bientôt.

— ... que je dois te dire.

— A moi ?

— Madame ?

Un client vint s'interposer entre eux.

— Avez-vous des salières et poivrières ?

— Oui, dans la vitrine, là-bas.

— Je les ai vues. En avez-vous d'autres ? Je suis collectionneur. J'ai un exemplaire des petites poules que vous possédez et je l'ai payé moitié moins cher !

Wyatt poussa un profond soupir d'agacement. Annie réprima un sourire. Il était aussi impatient que par le passé.

— J'en ai quelques autres dans la vitrine sous le comptoir, mais elles sont rares et leur prix est d'autant plus élevé.

— Je vais regarder, répondit le client avec une moue dédaigneuse.

Annie se retourna vers Wyatt.

— Excuse-moi. Tu disais ?

— Eh bien, j'essayais de dire que…

Il passa sa main sur sa mâchoire.

— J'ai pensé que… peut-être… nous pourrions parler. Récemment, j'ai compris que je devais m'excuser de m'être si mal comporté à cette époque…

— Est-ce que ce sont là vos pièces rares ? coupa le collectionneur en montrant du doigt un casier de bois dans lequel étaient présentés des services à thé.

— Non, sous le comptoir. La vitrine.

Sans quitter Wyatt des yeux, elle fit un vague geste de la main.

— Je suis désolée.

— Ce n'est rien. Je disais que ce serait peut-être une bonne idée de parler du passé. Tu sais… Peut-être, cela nous aiderait à poursuivre nos vies.

— « Poursuivre nos vies » ?

Annie le regarda, l'air interrogateur. De quoi parlait-il donc ?

— Cette vitrine ? interpella encore le client.

— Oui, répliqua Annie sur un ton un peu excédé.

Elle baissa la voix pour s'adresser à Wyatt.

— Wyatt, je ne suis pas sûre que ce soit une bonne idée. Je crois que nous nous sommes dit tout ce que nous avions à nous dire…

— Vous parlez de ces objets en cristal et argent ? Ah, oui ! J'aimerais les voir.

— Un instant, s'il vous plaît.

Elle lança au client un semblant de sourire avant de se retourner vers Wyatt.

— Cela m'a pris du temps, mais j'ai fini par accepter ce qui s'est passé…

— Ecoute..., interrompit Wyatt pour plaider sa cause. J'ai eu tort. Je le sais aujourd'hui. Je veux... Non, j'ai besoin de te parler. Pour tout effacer.

Le collectionneur s'impatienta.

— J'ai peu de temps. Des amis m'attendent...

— Il n'y a pas le feu ! s'énerva Wyatt.

Le client resta bouche bée.

Annie ferma les yeux. Elle connaissait bien Wyatt : il ne la lâcherait pas tant qu'elle n'accepterait pas de l'écouter. Et d'ici là, il aurait fait fuir tous ses clients.

— Bon ! C'est d'accord, murmura-t-elle. Quand ?

— Ce soir ? Pour le dîner ?

— Parfait. Quelle heure ?

— 19 heures. Je passerai te chercher... ici ?

— A 19 heures, je serai chez moi.

Elle rejoignit le comptoir où le collectionneur montrait des signes d'impatience et d'exaspération. Elle prit une carte de visite dans un plateau en argent et écrivit son adresse personnelle au dos.

— Je suis à un pâté de maisons de chez ma mère. Tu trouveras.

Cet après-midi-là, Patsy revêtit sa robe la plus « Meredith », coiffa ses cheveux de la façon la plus « Meredith » et, après avoir ajouté quelques bijoux et une touche de rouge à lèvres pâle, elle n'aurait pu ressembler davantage à Meredith que Meredith elle-même. D'ailleurs, si sa sœur avait pu la voir, songea Patsy en ricanant, elle aurait eu toute raison d'être fière !

Après un dernier coup d'œil dans le miroir, elle vérifia le contenu de son sac. Elle était prête à prendre la route.

La BMW noire racée ronronna bientôt sur l'autoroute, faisant du trajet de Prosperino à Los Angeles un véritable plaisir. Pour que son courage ne l'abandonnât pas, elle écouta ses cassettes de rock préférées, et hurla à l'unisson avec les chanteurs. A l'heure du déjeuner, elle s'offrit une flûte d'un grand cru de champagne et alluma une cigarette au bout d'un fume-cigarette en or.

Arrivée à Los Angeles, elle savait exactement où elle allait. Elle était déjà venue dans ce quartier pour engager cet idiot de Silas Pike dit Œil-de-Serpent. L'homme qui était *censé* la débarrasser d'Emily une bonne fois pour toutes.

— Après tout, je ne peux pas toujours gagner, soupira-t-elle.

Et, de toute façon, Silas Pike était toujours sur le coup. Aussi tout espoir n'était-il pas perdu.

Elle jeta un coup d'œil sur la carte routière, ralentit, négocia plusieurs changements de file et virages serrés, tout en prenant garde à la flûte de cristal posée sur le siège passager. Voilà, elle était arrivée. Elle appuya sur la pédale de frein et lut l'immense panneau accroché au-dessus de l'entrepôt délabré.

Agence Sosie.

Sosies de célébrités pour doublures cinématographiques, fêtes privées, messages d'anniversaires et bien plus encore !

C'était exactement ce qu'elle cherchait ! Elle se gara sur le terrain isolé, et entra dans l'entrepôt par la porte principale. L'odeur de poussière, de vieux vêtements et de boules de naphtaline la saisit à la gorge. Derrière le comptoir, une vieille femme cousait des boutons sur une veste.

— Bonjour, lança Patsy de ce ton léger et parfaitement maîtrisé qui la caractérisait.

— Qu'est-ce que j'peux faire pour vous ?

La femme ne prit même pas la peine de lever les yeux de son ouvrage.

— Je cherche le sosie de l'un de mes amis. Nous souhaitons lui faire une farce à l'occasion de son… son anniversaire.

— Ouais. Quel genre ?

Patsy sortit une photo de Jackson de son sac.

— Je voudrais quelqu'un qui lui ressemble, avec la même coupe de cheveux.

La femme s'arrêta de coudre et prit la photo.

— Stuart… Stuart fera l'affaire. Il peut ressembler à n'importe qui, et vous ne pourrez pas faire la différence avec la vraie personne. Stu ! cria-t-elle. Stu ! Amène-toi !

— Ce Stu… Il est vraiment bon, n'est-ce pas ?

— Sinon, on vous rembourse. Il a travaillé à Broadway avant, mais il a eu quelques problèmes avec la justice. Stu !

— Ça peut arriver à tout le monde, je suppose, constata Patsy en levant un sourcil. Combien ?

Stu, un individu passe-partout, arriva nonchalamment. La couleur de ses cheveux était différente, remarqua immédiatement Patsy, mais c'était un détail facile à corriger. Sa taille et sa corpulence correspondaient parfaitement.

La femme derrière le comptoir lui tendit la photo.

— Combien pour t'habiller comme ce type et rendre des p'tits services à la dame ?

Stu examina la photo.

— Deux cents par jour, plus les frais.

— Oh, parfait.

Patsy fit signe à Stu de s'éloigner du comptoir. Plongeant la main dans son portefeuille, elle sortit quatre billets froissés de cinquante dollars et les lui tendit.

— Voici deux cents dollars. Vous aurez le reste quand le travail sera réalisé.

— Comment est-ce que je vous contacte ?

— C'est moi qui vous appellerai.

Elle sortit ensuite un dossier de son sac.

— Voici ce que vous devez faire.

Stu ouvrit le dossier et parcourut le contenu.

— Vous voulez que j'aille à la société d'assurances Grimbles de Los Angeles et que je prenne une police d'assurance d'un million de dollars pour un type nommé Joe Coltons.

— C'est ça. Et votre signature sur le contrat d'assurance doit ressembler à ça.

Elle lui tendit un exemple de la signature de Jackson.

— Cette société d'assurances est suffisamment petite pour qu'elle ne fasse aucune vérification.

Elle gloussa.

— Après tout, quand on pense que le popotin de Jennifer Lopez est assuré pour dix millions, je ne vois pas pourquoi cela devrait poser problème !

— Moi non plus.

Stu fourra les billets dans sa poche et prit le dossier de Patsy. De la poche de sa chemise, il sortit une carte professionnelle.

— Voici mon numéro de portable. Ce sera fait demain après-midi. Appelez-moi et nous prendrons rendez-vous. Je vous donnerai les documents, vous me donnerez le reste de l'argent. Ça marche ?

Patsy chaussa ses lunettes noires et s'apprêta à partir.

— Ça marche.

4.

— Maman ?

— Mmm… ?

— Comment as-tu su que papa était l'amour de ta vie ?

MaryPat Summers leva les yeux du magazine qu'elle était en train de feuilleter, et regarda sa fille avec curiosité.

— L'amour de ma vie ?

— Tu sais bien…, commença Annie avec un geste impatient de la main. Je parle de cet amour que l'on éprouve lorsqu'on sait, au plus profond de son cœur, que la personne est celle qu'on a toujours attendue et qu'on l'aimera jusqu'à la fin de ses jours. Et qu'on ne pourrait pas vivre sans elle… Tu comprends ?

MaryPat referma son magazine et croisa les mains.

— Eh bien, je ne peux parler que pour moi, bien entendu. Mais en ce qui concerne ton père, j'ai su que je l'aimais parce que…

Elle fit une pause et émit un petit rire.

— … parce que chaque fois que nous étions dans la même pièce, je ne pouvais plus respirer.

Annie tourna le dos au miroir dans lequel elle examinait son reflet et dévisagea sa mère.

— Tu ne pouvais plus respirer ? Maman, mais c'est terrible !

— Mais non, mais non… Je ne veux pas dire que je ne pouvais plus respirer du tout, mais j'avais le souffle coupé. Je ne sais pas pourquoi. C'était comme ça. Et même des années après notre mariage, il m'arrivait de regarder ton cher père et… Il a toujours été si bel homme ! Avec ses cheveux roux bouclés, son teint bronzé, son corps robuste et sa voix si profonde…

Elle soupira.

— Mon Dieu ! J'ai encore du mal à reprendre mon souffle, rien qu'en pensant à lui.

— Alors, cela te suffisait pour savoir que c'était lui ?

— Oui, mon cœur, cela me suffisait. La logique n'explique pas tout. Certaines choses doivent se fonder sur la capacité de chacun à respirer, conclut-elle avec conviction.

Annie leva un sourcil circonspect et se concentra de nouveau sur son apparence.

MaryPat pinça les lèvres.

— Ton intérêt pour l'amour éternel n'aurait pas quelque chose à voir avec la soudaine réapparition de Wyatt Russell, par hasard ?

— Maman ! Ne sois pas ridicule !

MaryPat se racla la gorge.

A cet instant, le silence de la petite rue tranquille fut troublé par le ronronnement d'une voiture qui approchait, ralentissait et finalement s'arrêtait devant la maison. MaryPat se tortilla sur le canapé et, après s'être débattue avec les doubles rideaux, jeta un coup d'œil par la fenêtre du salon. Elle aperçut Wyatt Russell qui descendait de sa voiture de location.

— Quand on parle du loup… Le voilà !

— Maman, arrête de l'espionner, gronda Annie.

Nerveusement, elle attacha son collier et regarda une dernière fois dans le miroir ses cheveux qu'elle haïssait.

— Je ne peux pas m'en empêcher. Je me demande ce qu'il manigance.

MaryPat laissa retomber les rideaux et se tourna vers sa fille.

— Après toutes ces années, le voilà qui réapparaît, surgi de nulle part. Quand je pense à ce qu'il t'a fait, je n'aime pas ça. Pas du tout. C'est simple, je ne lui fais pas confiance.

Tour à tour crêpant, aplatissant et ébouriffant ses cheveux, Annie se battait avec son chignon qui penchait résolument sur le côté. Décidément, tout lui échappait !

— Maman, je suis déjà suffisamment énervée comme ça, ce n'est pas la peine d'en rajouter. Tu pourrais au moins lui laisser le bénéfice du doute, tu ne crois pas ?

— Mmm…

La sonnette retentit et les deux femmes se figèrent, plus angoissées l'une que l'autre.

— C'est lui !

— Je sais.

— Veux-tu que j'aille ouvrir ?

— Oui… Non. Je ne sais pas.

— Eh bien, on ne va pas le laisser dehors toute la nuit. A moins que… Ce serait peut-être amusant !

Le rire en cascade de MaryPat emplit la pièce.

Annie soupira.

— Bien sûr que non. On ne peut pas le laisser là. J'y vais.

Elle s'arrêta.

— De quoi ai-je l'air ?

— Tu es ma-gni-fi-que ! Tu es bien plus belle que cette fille dans *Will et Grace.*

— Maman, je t'en prie !

— Mais c'est la vérité !

Annie lissa sa jupe kaki et s'inquiéta de son corsage en stretch.

— Et ça, est-ce que ça va ? C'est un peu serré. Je ne suis pas sûre. Je ne voudrais pas lui donner de fausses idées.

— Quelles fausses idées ? demanda MaryPat en fronçant les sourcils.

— Mais tu sais bien… Que j'essaie d'avoir l'air sexy ou quelque chose de stupide comme ça. D'un autre côté, je ne veux pas paraître mal fagotée… Oh ! Comme je déteste mes cheveux !

— Ma chérie, tu es ravissante. Et si j'avais ta taille de guêpe, je te volerais volontiers ton ensemble. Quant à tes cheveux, ils sont splendides. Il y a des gens qui tueraient père et mère pour avoir ta couleur et ton type de…

— C'est gentil, maman. Je te remercie.

Annie envoya un baiser à sa mère, puis elle marcha résolument vers la porte et l'ouvrit. Le sourire de Wyatt la replongea immédiatement dans le passé.

— Bonsoir.

— Bonsoir.

Elle s'appuya contre le montant de la porte, le temps de reprendre son sang-froid et d'accepter ce retour en arrière. Au moins, elle respirait encore. C'était déjà ça !

Wyatt s'éclaircit la gorge.

— Est-ce que je peux… entrer ?

Elle sursauta.

— Oui, bien sûr !

Gênée, elle s'écarta et l'invita à entrer dans sa petite maison, véritable bijou du mouvement Arts and Crafts des années 1930. Une fois encore, elle se prit à imaginer la façon dont il percevait son style de vie et, une fois encore, elle se sentit sur la défensive. Sans doute le trouvait-il bien terne, comparé à sa vie d'avocat trépidante et jalonnée de succès.

Son ameublement, qu'elle aimait appeler « minable-chic », se composait de meubles d'occasion astucieusement remis à neuf. Les murs étaient agrémentés d'aquarelles qu'elle avait peintes pendant qu'elle attendait ses garçons. Les coussins, les livres, les bougies et les jouets éparpillés çà et là conféraient à la pièce une atmosphère confortable et désordonnée. Et, comme au magasin, les toiles d'araignées et les traces de doigts, qui jusqu'alors étaient passées inaperçues, lui sautèrent aux yeux comme pour la provoquer. Sa vie n'était ni raffinée ni organisée. Et jusqu'à présent, c'était ainsi qu'elle l'aimait.

— Je t'en prie, par ici.

Elle déployait d'immenses efforts pour chasser la peur et les hésitations de son sourire.

— Wyatt, tu te souviens de ma mère, MaryPat Summers.

— Mais, bien sûr. Ravi de vous revoir.

Le timbre profond de la voix de Wyatt emplit la salle de séjour tandis qu'il s'avançait et serrait la main de MaryPat.

— Moi de même, Wyatt, dit-celle-ci en gazouillant.

Annie tourna la tête, s'abstenant in extremis de lever les yeux au ciel. Aussi revêche et désagréable que voulût paraître sa mère, elle était incapable de rester insensible au charme masculin !

Le trottinement de petits pas se fit entendre dans l'escalier. Noah et Alex, curieux comme des enfants de leur âge, venaient voir ce qui se passait.

— Maman… ? commença l'un.

— Qui est là ? termina l'autre.

Immédiatement ils reconnurent en Wyatt l'homme qu'ils avaient vu au magasin l'après-midi même. Comme seuls peuvent le faire des gamins de cinq ans, ils se précipitèrent avec audace vers lui.

— Hé, on vous connaît ! lança Alex, le visage réfléchi.

Annie tendit les bras vers ses garçons et les attira contre elle.

— Les enfants, je vous présente Wyatt Russell. Un ancien copain d'école.

— Qu'est-ce que vous faites ici ? s'enquit Noah, péremptoire.

Ils se montraient méfiants et protecteurs. Leur réaction attendrit Annie au plus profond d'elle-même. Son cœur s'emplit d'un immense sentiment maternel de fierté et d'amour. Sa vie n'était peut-être pas faite de privilèges et de prestige, mais elle était riche de son immense amour pour ses deux petits bonshommes. Instinctivement, elle fit un pas en avant pour se glisser entre ses garçons et Wyatt, comme pour les préserver de quelque chose.

— Vous êtes venu pour inviter ma maman à dîner et *l'embrasser* ? demanda Alex à brûle-pourpoint.

Annie eut le souffle coupé. Cette fois, c'était peut-être Wyatt qui avait besoin d'être protégé. Elle sentit ses mains devenir moites et entendit résonner le rire nerveux de MaryPat. Les sourcils levés, les lèvres frémissantes, Wyatt interrogea Annie du regard. Elle rougit.

— Les garçons, réprimanda-t-elle, ce n'est pas poli de cuisiner ainsi notre invité !

— Je ne le cuisine pas, grogna Alex.

Noah pouffa de rire :

— C'est pas un hot dog.

— Est-ce que vous allez vous marier ? questionna encore Alex en croisant les bras sur sa poitrine.

— Nous marier ?

Suffoquée, Annie eut l'impression d'une douche glacée. Par-dessus les bourdonnements de sa tête, le rire mortifié de MaryPat lui parvint.

— La maman de Sean Mercury vient juste de se marier avec le monsieur qui l'avait emmenée dîner une fois, expliqua Alex.

— Et ils faisaient que s'embrasser et tout ça, poursuivit Noah.

— Est-ce que vous allez faire ça ?

Son regard amusé toujours rivé au sien, Wyatt répondit aux enfants d'Annie.

— Votre maman et moi étions amis, voilà longtemps. Bien avant votre naissance. Et comme j'étais de passage pas loin de chez vous, je me suis dit que je devais m'arrêter lui dire bonjour et l'emmener dîner. Ensuite, nous irons au cinéma ou nous irons nous marier. Je la laisse choisir.

— Wyatt ! Je t'en prie ! Ne leur mets pas de telles idées en tête.

— Mais notre table n'est réservée que d'ici à une heure... Elle a tout son temps pour prendre une décision.

— Vous nous faites une blague ! s'écria Alex qui devina l'humour de Wyatt.

Wyatt lui adressa un clin d'œil.

— Un peu, oui.

— Tu as le temps de jouer ?

— Bien sûr !

Les sourires ravis plissèrent le nez des garçons, mêlant leurs taches de rousseur. Noah regarda d'abord Alex puis Wyatt.

— A quoi, tu veux jouer ?

— Et vous, les garçons ? A quoi, voulez-vous jouer ?

— On veut jouer...

Alex agrippa le bras de son frère et recula d'un pas.

— ... au monstre de l'espace.

Leurs cris perçants emplirent la pièce tandis qu'ils grimpaient l'escalier quatre à quatre.

Wyatt jeta un regard interrogateur à Annie.

— Ne me demande pas, répondit-elle en haussant les épaules.

Comme tous les jumeaux, Noah et Alex s'étaient créé leur propre monde imaginaire. La plupart du temps, elle se sentait complètement perdue lorsqu'ils l'entraînaient dans un jeu de leur invention.

Wyatt se lança à la poursuite des garçons et un tumulte général s'ensuivit. Avec des grognements gutturaux, il les pourchassa dans l'escalier, dans le couloir et dans ce qui semblait être leur chambre.

— Tu crois qu'ils ne risquent rien ? s'inquiéta MaryPat.

Annie savait que sa mère répugnait à laisser ses précieux petits-enfants entre les mains de l'homme qui avait brisé le cœur de sa fille.

— Je ne sais pas, maman. Mais je parie, étant donné sa carrière, qu'il a une bonne assurance-vie.

Voilà, encore une bonne chose de faite ! Il était temps de fêter ça. Patsy activa le limitateur de vitesse et s'offrit un verre. Ce qu'il y avait de plus excitant à être l'épouse de l'ex-sénateur Joe Coltons, c'était ce sentiment de planer au-dessus des lois. Elle alluma une cigarette et laissa échapper un petit rire. Bien, bien au-dessus des lois... Non qu'elle connût grand-chose à ce sujet, mais il y avait tellement de personnes, dans cette fichue famille, qui s'y entendaient parfaitement !

Jackson, par exemple.

Patsy se concentra sur les lignes blanches qui filaient sous sa voiture et pensa à une affaire que Jackson avait plaidée.

Un ancien camarade d'université voulait que ce cher Jackson fît déclarer son père, directeur général de l'entreprise familiale, incompétent pour cause de toxicomanie, afin que son petit génie de fils pût reprendre la direction de la société. Cet ami était venu à maintes occasions au ranch des Coltons, et chaque fois, Patsy s'était efforcée de rester à portée de voix de leur conversation. Sans savoir vraiment de quelle façon, Patsy avait eu l'intuition que la connaissance de ce cas lui serait utile un jour. Ce jour était arrivé plus tôt que prévu.

Avec un sourire, elle fit tomber les cendres de sa cigarette par la vitre. En résumé, Jackson savait comment s'approprier Coltons

Enterprises si d'aventure son oncle Joe venait à décéder et que son père Graham en héritait.

Eh oui ! Ce cher Jackson allait lui servir à bien des égards !

Le rire aigu de Patsy résonna dans l'intérieur somptueux de la BMW.

— Tu ne crois pas que nous devrions aller voir ce qui se passe ?

MaryPat ne supportait jamais le moindre imprévu.

— Non.

Armée d'une bombe de laque et d'une poignée d'épingles à cheveux, Annie profitait de ce répit pour tenter de redresser son chignon devant le miroir de l'entrée. Ce faisant, elle prêtait l'oreille au babillage de ses garçons. Elle sourit avec hésitation, puis les coins de sa bouche se relevèrent et elle eut un sourire franchement amusé.

— Quinze minutes viennent de s'écouler et personne n'a encore hurlé. C'est très bon signe. Laissons-les faire connaissance.

— Pourquoi ?

— Parce qu'un peu d'influence masculine ne va pas les tuer.

Elle fut interrompue par le bruit d'un objet se brisant sur le sol, immédiatement suivi par un silence coupable.

— Mais moi si ! soupira-t-elle.

Elle arracha les épingles de ses cheveux, déterminée à recommencer son impossible chignon. Avec ses cheveux de couleur cuivre, raides comme un tampon à récurer, peut-être ferait-elle mieux de renoncer définitivement à toute idée de sophistication ?

Quelques instants plus tard, Wyatt apparut sur le palier, une lampe cassée dans les mains. Les garçons se cachaient derrière lui.

— Euh… Annie ?

Le ton penaud, Wyatt parla pour eux trois.

Abandonnant ses tentatives de coiffure, Annie alla jusqu'au pied de l'escalier et saisit la rampe.

— Oui ?

— Nous… euh… nous nous sommes un peu emballés et nous avons cassé cette lampe.

— En effet, je vois.

En retrait derrière Wyatt, Alex jeta un coup d'œil à travers la balustrade. Il portait l'abat-jour cabossé.

— On l'a pas fait exprès, m'man.

— C'était un accident, poursuivit Noah.

Wyatt berça bizarrement le pied de la lampe en morceaux.

— Je suis vraiment désolé. Nous sommes vraiment désolés... N'est-ce pas, les garçons ?

Ils hochèrent la tête.

— Je t'en achèterai une autre, c'est promis.

Annie sentit la fraîcheur du bois de la rampe sous ses doigts et elle la serra plus fort.

— Je peux m'acheter une nouvelle lampe toute seule, rétorqua-t-elle d'un ton sec.

Aussitôt gênée par l'agressivité de sa voix, elle tourna la tête et chercha ce qu'elle pourrait dire pour détendre l'atmosphère.

Le silence était soudain assourdissant. Noah et Alex regardèrent tour à tour les adultes, leurs visages exprimant un mélange de curiosité et d'anxiété.

Pour une fois, Annie accueillit avec soulagement l'intervention de sa mère.

Celle-ci s'éclaircit la gorge.

— Les garçons, allez vous laver les mains. Votre dîner est presque prêt.

Visiblement satisfaite d'échapper à la tension qui s'installait entre sa fille et Wyatt, MaryPat tourna les talons et rejoignit la cuisine.

— Et allez changer vos T-shirts, ajouta Annie.

A en juger à la poussière et aux taches qui couvraient leurs vêtements, les monstres de l'espace avaient dû se cacher sous les lits.

Wyatt tendit la lampe à Alex.

— Tiens, remets ça à sa place. On s'en occupera plus tard.

— Non ! Je ne veux pas que tu partes !

En pouffant de rire, Alex agrippa la ceinture de Wyatt et s'y suspendit, tel un pantin désarticulé.

Imitant son frère, Noah noua ses bras autour de la jambe de Wyatt et, rejetant la tête en arrière, il éclata de rire.

— Reste ! cria-t-il. S'il te plaît!

— S'il te plaît ! S'il te plaît ! S'il te plaît !

Le visage radieux, à la fois flatté et tenté de rester, Wyatt se tourna vers Annie. Il avait toujours ces petites rides qui rayonnaient aux coins des yeux, mais elles étaient plus profondes que dix ans auparavant. Ses yeux étaient toujours de ce même bleu à la fois candide et attirant, et ses cheveux couleur acajou étaient toujours aussi épais. Elle avait oublié à quel point il était séduisant. Ou plutôt, elle l'avait chassé de son esprit... Elle était prête à parier qu'il lui suffisait de claquer des doigts pour qu'une armada d'admiratrices lui tombe dans les bras.

— Maman, dis-lui de rester..., pleurnicha Noah.

Annie se laissa aller contre la rampe et se passa la main sur le front. De toute évidence, ses fils n'étaient pas moins insensibles au charme de Wyatt qu'elle l'était elle-même. Elle aurait volontiers ri en les voyant s'accrocher à lui, mais elle choisit d'afficher un regard sévère.

— Les enfants, s'il vous plaît, laissez ce pauvre Wyatt tranquille et allez vous laver les mains. Votre dîner est prêt.

— Allons, faites ce que vous dit votre maman, ordonna Wyatt, voyant qu'ils ne bougeaient pas.

Avec quelques grognements de protestation, Alex prit la lampe que Wyatt lui tendait et retourna dans sa chambre en traînant les pieds. Tout aussi déçu, Noah lâcha la jambe de Wyatt et suivit son frère.

— Tu es prête ?

Wyatt saisit la rampe et, en quelques pas nonchalants, il se retrouva devant elle. Elle se souvint alors trop bien qu'elle avait l'habitude de fondre quand il se trouvait si proche.

Luttant mentalement contre leur ancienne attirance, Annie porta la main à ses cheveux.

— Je suppose, répondit-elle.

Comme il avançait la chaise d'Annie et l'aidait à prendre place, Wyatt s'étonnait encore qu'elle eût aussi peu changé. A vingt-neuf ans, elle ressemblait toujours à la jeune fille fluette de dix-neuf ans qu'il avait connue. Son visage ne portait aucune trace des années passées. Et à l'exception de quelques charmantes taches de rousseur, sa peau avait la couleur de l'ivoire.

Quelle bonne idée elle avait eu de défaire ce chignon dans lequel elle aimait emprisonner ses cheveux, et de les laisser tomber librement sur ses épaules ! Elle avait une chevelure tellement magnifique qu'il était dommage de l'attacher… Il adorait la façon dont ses cheveux entouraient si joliment son visage, et il mourait d'envie de tendre la main, d'enrouler une boucle autour de son doigt et la laisser rebondir comme il le faisait autrefois.

— Merci, murmura-t-elle de cette voix qui avait hanté son esprit pendant toutes les années passées loin d'elle.

Elle s'installa confortablement et déplia sa serviette.

A contrecœur, il s'écarta et alla s'asseoir en face d'elle. Il avait choisi un restaurant accroché à la berge d'une rivière tumultueuse qui traversait la vallée à mi-chemin entre Keyhole et Nettle Creek. C'était un charmant vieux bâtiment en rondins de bois dégrossis, percés d'immenses baies vitrées. Il était réputé pour sa spécialité de poulet et de boulettes de pâtes. C'était un terrain neutre, avec ses lumières vives, sa musique forte et ses prix raisonnables. Wyatt espérait que, dans ce cadre, Annie ne penserait pas qu'il voulait la séduire.

Lorsque la serveuse s'éloigna avec leur commande, ils durent de nouveau affronter le silence pesant des années de séparation. Enfin, Annie parla.

— Mes garçons semblent t'apprécier.

— Ils sont adorables. Très mignons. Comme leur maman !

Annie leva les yeux au plafond, comme pour balayer le compliment.

— Ils ne me laissent pas une minute de répit.

— Tu les as bien élevés.

— Ma famille m'aide beaucoup.

Wyatt passa le doigt sur la condensation de son verre. La famille… C'était pour cette raison qu'Annie avait quitté l'Université. Il leva les yeux vers elle et eut la certitude que leurs pensées suivaient le même cours. Mieux valait en finir.

— Je…

Il déglutit et sentit sa pomme d'Adam frotter le col de son polo. Il défit le premier bouton.

— Je t'ai invitée à dîner ce soir parce que j'ai besoin d'expliquer… de te dire que je suis désolé de ce qui s'est passé entre nous.

Annie leva la main en signe d'apaisement.

— C'est…

— Non, Annie. Laisse-moi finir. Il faut que je te parle, et cela fait longtemps que j'attends.

Résignée, elle haussa les épaules.

— Je veux seulement te dire que je sais maintenant pourquoi tu as dû rentrer chez toi. J'étais égoïste, à cette époque, et je n'ai pas vraiment compris l'importance de la famille.

— Tu as eu ta dose quand tu étais petit.

Wyatt approuva d'un hochement de tête, et il repensa à la vie misérable qu'il avait eue avant que Joe ne lui vînt en aide. Il n'aimait pas évoquer ces années où il était un petit garçon terrifié, à l'existence pitoyable, avec un père alcoolique et violent et une mère totalement défaillante. Aujourd'hui, ses parents étaient morts, et il était un Coltons dans tous les sens du terme, même s'il ne portait pas leur nom.

— C'est vrai, dit-il, mais seulement jusqu'à ce que Joe me sauve. Et parce qu'il s'est bien occupé de moi…

Wyatt fit une pause car sa gorge se serrait chaque fois qu'il parlait de Joe.

— … j'aurais dû comprendre tes sentiments envers ton père. Il y a environ un an, j'ai failli perdre Joe, ce qui…

La mâchoire contractée, il porta son regard au loin.

— … ce qui m'a vraiment permis d'ouvrir les yeux.

— Mon Dieu, je suis désolée, murmura Annie.

— Je te remercie. Heureusement, il va bien, maintenant. Mais j'ai vraiment eu peur.

Wyatt saisit la main d'Annie et entremêla leurs doigts. Il sentit immédiatement vibrer les ondes familières qui les unissaient autrefois.

— Annie, lorsque ton père a eu cette attaque, je n'ai pas saisi la gravité de la situation. J'ai cru que tu le choisissais, lui, plutôt que moi...

— C'est ce que j'ai fait, avoua-t-elle.

— Je sais.

Il se pencha en avant.

— C'était bien, c'était normal. J'aurais dû comprendre et être là pour toi. Pendant sa maladie, et ensuite, lorsqu'il est mort.

— Mais comment aurais-tu pu ? Ton père ne s'est jamais comporté comme un père.

Les yeux brillants, le sourire effarouché, Annie lui serra doucement la main.

— Tu as agi du mieux que tu pouvais. J'ai fini par l'accepter. Exactement comme j'ai fini par accepter que papa ait eu besoin que j'arrête mes études, et que je vienne aider ma mère et mes sœurs à gérer le magasin.

— Tu étais alors bien plus mûre que ton âge. Je t'ai toujours admirée pour ça, même si je ne l'ai jamais dit.

Wyatt regarda la main familière qu'il tenait dans la sienne.

— Jusqu'à une date récente, je n'avais pas vraiment la fibre familiale... Et pour tout dire, je ne faisais pas confiance aux liens familiaux. J'ai tout misé sur ma carrière. Je m'imaginais que je pourrais toujours compter là-dessus dans les pires moments.

Son rire fut un peu triste.

— Et je voulais m'éloigner le plus possible de la pauvreté dans laquelle j'étais né.

Il leva les yeux et comprit qu'il était inutile de poursuivre. Annie savait pourquoi il avait pris sa décision, aussi clairement que si elle pouvait lire dans ses pensées. Cela s'était toujours passé ainsi entre eux : chacun finissait les phrases de l'autre, avait les mêmes idées bizarres au même moment, savait instinctivement ce que l'autre ressentait. Et Wyatt avait laissé tout tomber... Quel imbécile !

— A cette époque, j'étais certain que nous allions nous marier, avoua-t-il.

— Moi aussi.

— J'aurais aimé que ce soit le cas.

— Je… Ce qui est fait est fait.

Elle paraissait si résignée que la phrase était sans appel.

— Nous aurions formé une bonne équipe, tous les deux, reprit Wyatt.

Visiblement, elle ne partageait pas le même avis.

— Je n'aurais pas eu mes garçons.

Wyatt lutta contre la jalousie avec laquelle il se débattait depuis le jour où il avait appris le mariage d'Annie, voilà si longtemps.

— J'aimerais avoir des enfants. Un jour.

— Tu en auras certainement.

Elle ne semblait pas avoir remarqué le ton un peu amer de sa voix, et le sourire qu'elle lui adressa se voulait encourageant.

— Je suis sûre que tu feras un père formidable.

Un jour. Lorsque tu auras trouvé une gentille fille et que tu seras casé, semblaient dire ses mots. *Une gentille fille qui n'aura rien à voir avec Annie Summers.*

— Le père de tes enfants doit te manquer.

Il s'arrêta, le temps de réfléchir à la meilleure façon de poursuivre sur ce sujet, qui obsédait son esprit plus souvent qu'il ne voulait l'admettre.

— J'ai appris son décès. Je suis… Je suis désolé.

— Merci.

L'as-tu aimé plus que moi ? aurait-il voulu demander. *Etait-il l'homme de ta vie ? L'est-il encore ? As-tu jamais pensé à moi, comme moi j'ai été obsédé par ton souvenir ?*

Les questions non formulées lui brûlaient les lèvres. Des questions dont il n'obtiendrait probablement jamais la réponse.

— J'ai voulu t'appeler, quand j'ai su. Sincèrement. Mais… je ne savais pas quoi te dire. Tu étais en deuil et je ne voulais pas outrepasser mes droits.

— Je sais.

Annie, en effet, savait toujours ce qu'il ressentait. Elle savait probablement aussi ce qu'il éprouvait à cet instant précis. Wyatt s'adossa à sa chaise, sans cesser de caresser doucement ses doigts.

Il avait cru que le fait de soulager son coeur auprès d'elle l'aiderait à panser sa blessure. Au lieu de quoi, cela semblait avoir l'effet contraire. Il souffrait parce que les garçons d'Annie n'étaient pas les siens. Parce qu'il n'appartenait pas à cette vie simple et à cette communauté unie. Parce qu'elle ne lui appartenait pas et ne serait jamais à lui, car un autre homme avait prononcé le vœu décisif à sa place. Le vœu de l'aimer, de l'honorer et de la chérir jusqu'à la mort.

Comment diable pourrait-il jamais supporter ça ?

Incapable de poursuivre, il aborda un autre sujet.

— Ta mère a l'air en forme…

— Elle l'est. Je pense qu'elle devrait vendre sa maison et venir habiter avec moi, mais elle est têtue. Elle répète que papa a construit ce petit jardin d'hiver rien que pour elle et que ce serait un péché de laisser quelqu'un d'autre s'y asseoir pour lire le journal.

Wyatt haussa les épaules. Il avait toujours apprécié MaryPat.

— Et comment vont tes sœurs ?

— Bien. Judith vit dans une petite ferme dans l'Iowa. Cela fait presque deux ans que nous ne nous sommes pas vues. Elle est très heureuse et elle a elle-même assuré l'enseignement scolaire de ses enfants.

— Eh bien ! Ça doit représenter beaucoup de travail.

— Oui, mais elle est douée pour ça. Ses enfants sont au lycée, maintenant, et ils se débrouillent seuls. Rick joue au base-ball, au basket, au football américain et…

Elle fronça les sourcils en réfléchissant.

— … j'ai oublié, mais Judith dit qu'il est toujours en nage et qu'il mange comme quatre. Il joue dans les équipes du lycée et il espère ainsi décrocher une bourse. Quant à Lynn, c'est une musicienne, une artiste et une danseuse accomplie, en plus d'être une rieuse professionnelle. Et j'ai entendu dire qu'elle avait un téléphone qui lui poussait dans le crâne !

— Ils nous ressemblent lorsque nous nous sommes rencontrés pour la première fois, constata Wyatt en riant.

— C'est vrai, approuva Annie avec un sourire mélancolique.

— Et ta petite sœur, qu'est-ce qu'elle devient ?

— Brynn ?

De sa main libre, Annie écarta ses cheveux de son visage et sourit.

— Elle vit toujours à Keyhole. Elle travaille dans l'immobilier et ça marche plutôt bien. Les propriétés commencent à être recherchées, par ici. Elle est célibataire et plus insolente que jamais.

— Vous êtes toutes les trois toujours aussi proches ?

— Oui. Judith nous manque, mais on se téléphone beaucoup.

— Rien de tel que la famille !

— En effet, il n'y a rien de tel.

Annie soupira et le regarda avec une expression douce et ingénue. Soudain, toute pensée rationnelle le quitta. Il aurait pu rester assis là le reste de ses jours à évoquer le passé.

La serveuse apporta une carafe de vin et Wyatt remplit leurs verres. Ils trinquèrent et portèrent un toast à la famille et aux vieux amis. L'éclat vert des yeux d'Annie le réconforta. Le poulet et les boulettes furent à la hauteur de leur réputation, et pas un instant leur conversation ne retomba, comme il l'avait tout d'abord redouté.

Wyatt était à ce point enchanté par leur tête-à-tête animé, au cours duquel ils évoquèrent tout ce qui leur était arrivé depuis l'Université, qu'il n'eut pas conscience des heures qui filaient, du dessert auquel ils ne touchèrent pas, du café qui refroidit, de la foule qui s'en alla peu à peu, ni même de l'entrée d'un homme étrange qui s'assit à une table dans un coin sombre.

Silas « Œil-de-Serpent » Pike se laissa tomber sur une chaise. Il alluma une cigarette et pianota des doigts sur le bord de la table, attendant que la serveuse à la poitrine généreuse revînt dans la salle et remarquât sa présence.

Nom d'un chien ! Comme il avait mal aux pieds ! Il se balança sur sa chaise et songea à retirer ses bottes. Mais à la réflexion, mieux valait ne rien en faire. Il avait avant tout besoin d'un verre.

Soufflant par les narines une volute de fumée qui l'enveloppa d'un brouillard bleuâtre, il regarda la salle, l'air absent, sa main secouée de tremblements. Bigre, mais où était donc passée cette mollassonne de serveuse ? Les yeux injectés de sang, il fouilla du regard le bar faiblement éclairé. Il avait besoin d'un verre. Tout de suite.

Toute la journée, il avait parcouru cette campagne perdue, et pour quel résultat ? S'il ne mettait pas rapidement la main sur la petite garce, il allait être à court d'argent ! Et il lui faudrait en exiger. Mais il n'aimait pas réclamer. La femme pour laquelle il travaillait se montrait particulièrement coriace quand elle devait passer à la caisse…

Il ne put réprimer un grognement. A quoi Emily croyait-elle échapper en venant s'enterrer ici ? Mais il avait retrouvé sa trace, à présent. Sept mois qu'il ruminait sa vengeance. Tout en se balançant d'avant en arrière, il ferma les yeux, saisit la salière et resserra ses doigts en imaginant qu'il s'agissait de la petite gorge fragile.

Et s'il se réservait ce plaisir intense après avoir profité d'elle ? Oui, ce n'était pas une mauvaise idée… Pendant un instant, il imagina sa peur, et ses yeux se plissèrent tandis qu'il souriait. Cette fois, elle ne lui échapperait pas.

On ne se moquait pas de Œil-de-Serpent.

Enthousiasmé par son idée, il se balança un peu plus fort sur sa chaise… Erreur fatale, étant donné que le plancher avait été ciré la veille.

Dans un immense fracas, il se retrouva les quatre fers en l'air à côté de sa table renversée, tandis que son cendrier filait en roulant comme un enjoliveur après un accident.

Une bordée d'injures, si grossières que le papier peint aurait pu frémir de honte, fit voler en éclats le calme de ce restaurant de famille. Sifflant et pestant, Silas Pike se démena en tout sens, se débattit avec sa chaise, une chaise en acajou, lourde et encombrante, aux accoudoirs incurvés. En vain. Les accoudoirs immobilisaient ses bras et, inexplicablement, les pieds avant de la chaise s'étaient glissés dans ses bottes. S'il n'avait pas eu conscience d'être le point de mire de toutes les personnes présentes dans le restaurant, il aurait sorti son arme et refroidi son agresseur sur-le-champ.

— Hé, l'ami ? Vous voulez un coup de main ?

Un type bon chic bon genre et sa femme à la chevelure flamboyante, tous deux bien assis sur leurs chaises, se précipitèrent à son secours et le regardèrent avec curiosité.

— Non !

Œil-de-Serpent se força à retrousser les lèvres dans un semblant de sourire, souhaitant minimiser l'importance de sa chute et passer ainsi inaperçu. Il regretta ses jurons, mais c'était chez lui une seconde nature.

— Je vous remercie, dit-il avec hésitation.

L'homme prit la main de la femme et recula d'un pas.

— Vous êtes sûr ? demanda-t-il d'un ton un peu apitoyé.

Œil-de-Serpent détestait la pitié. La pitié démangeait son envie d'appuyer sur la détente.

— Je me sens tout à fait bien, répondit-il en s'accroupissant sur le sol. J'ai eu une longue journée et je pense que je vais me reposer. Ça vous dérange ?

— Non, pas du tout.

L'homme haussa les épaules et ramena sa compagne à la crinière bouclée vers leur table. Œil-de-Serpent savait que tout le monde, dans le restaurant, le regardait.

Si seulement il réussissait à retirer ses bottes, il pourrait retourner la chaise et se lever !

Et que faisait donc cette stupide serveuse ?

Cela dit, pensa-t-il en fermant les yeux, il n'était pas si mal, assis de la sorte par terre. C'était toujours mieux qu'arpenter la campagne en long, en large et en travers. Il écrasa son mégot sur le magnifique plancher et, plongeant la main dans la poche de sa veste, sortit une autre cigarette. Il l'alluma et resta ainsi quelques instants, fumant et s'efforçant de paraître aussi discret que possible.

Enfin la serveuse sortit de l'arrière-salle et, l'ayant remarqué, elle se précipita vers lui.

— Oh, mon Dieu ! Euh... Bonsoir.

Perplexe, elle s'accroupit à côté de lui.

— Est-ce que tout va bien ?

— La terre est basse...

— Je peux faire quelque chose ?

— Ouais. Apportez-moi un whisky et une bière pour le faire passer.

— Non, je voulais dire…

— Je sais ce que vous voulez dire. Contentez-vous de m'apporter à boire.

— Je… euh… Tout de suite.

Elle sortit un carnet et un crayon de la poche arrière de sa jupe en jean et griffonna quelques mots.

— Autre chose ?

Pourquoi pas ? songea Œil-de-Serpent. Il sortit une photo d'Emily de son portefeuille.

— Vous pouvez peut-être me renseigner. Vous connaissez cette fille ?

La serveuse se pencha pour regarder la photo. Œil-de-Serpent plongea les yeux dans son corsage.

Elle approuva d'un signe de tête.

Le sang se mit à couler plus vite dans les veines de Œil-de-Serpent et, soudain, il ne sentit plus la fatigue. Il envoya valser ses bottes, fit basculer la chaise et s'assit.

— Où est-elle ?

Elle lui jeta un coup d'œil hésitant.

— Pourquoi voulez-vous le savoir ?

Il avait prévu sa petite histoire. Il passa sa main sur la barbichette de son menton, dans un geste qu'il voulait éduqué.

— Je suis membre du comité des anciens élèves de l'Université.

— Vous ?

Elle n'en croyait pas un mot, de toute évidence.

— Oui, moi ! Nous préparons une grande fête, et nous voulons réunir tout le monde.

— Vous êtes trop vieux pour avoir été dans sa classe.

— J'étais son professeur.

Il lui rendit son regard glacé.

— Elle était l'une de mes meilleures étudiantes.

Indécise, la serveuse tapotait son calepin avec son stylo.

— Elle était si intelligente… Je parie qu'elle gagne gros, aujourd'hui, avança Œil-de-Serpent pour l'inciter à révéler ce qu'elle savait.

— Non, elle est serveuse comme moi. Les pourboires valent le coup, mais la paye n'est pas si bonne que ça.

Elle s'assit finalement par terre pour mieux discuter et s'appuya à la table renversée.

— J'ai travaillé avec Emma à Keyhole avant de me faire virer.

— Qui vous a virée ?

Silas Pike caressa du regard ses jambes qu'elle croisait.

— Un crétin qui s'appelle Roy. Le patron du Mi-T-Fine Café.

Œil-de-Serpent cligna des yeux. Cette écervelée venait de lui révéler tout ce qu'il avait besoin de savoir au sujet d'Emily. Et quand il en aurait terminé avec Emily, il reviendrait pour…

— Vous vous appelez comment, ma jolie ?

Il se leva et lui tendit la main. En se relevant, elle se cogna contre lui et gloussa.

— Rose.

Elle inclina la tête et lui décocha un sourire provocant.

— Vous avez une carte ? Je pourrais la donner à Emma de votre part.

— Non, mais si vous me donnez votre numéro de téléphone, je vous rappellerai.

5.

En regardant par-dessus son épaule, Annie aperçut sa mère qui les épiait furtivement. Un œil non averti n'aurait pas remarqué l'imperceptible mouvement des rideaux, mais Annie ne put guère s'y tromper.

Assise avec Wyatt dans la voiture de location garée le long du trottoir, cela faisait près d'une heure à présent qu'ils discutaient à bâtons rompus. Ni l'un ni l'autre ne voulaient que cette soirée s'achevât. Mais comme toutes les bonnes choses, elle tirait naturellement à sa fin.

Pourtant, Annie hésitait à rompre le charme. Confortablement installée et bien au chaud, elle jouissait pleinement de l'attention exclusive de Wyatt, et écoutait avec délice les anecdotes de sa vie à Washington DC. Pendant des années, elle s'était demandé ce qu'il était devenu, avec qui il vivait, comment les choses allaient pour lui. Maintenant, elle entrevoyait son existence. Et plus elle en apprenait, plus la douleur l'envahissait. Wyatt s'était construit une existence des plus enviables. *Sans elle.*

Elle dut alors se blinder contre les pincements de son cœur.

Il était étonnant qu'aucune jeune beauté n'ait réussi à mettre la main sur lui. Dieu savait qu'elle s'était rongé les sangs à ce sujet, même après avoir épousé Carl !

— Et alors, commença-t-elle, gênée de formuler sa question à haute voix, tu ne t'es jamais marié ?

Wyatt ne sembla pas trouver sa curiosité déplacée.

— Non. J'ai bien failli, une fois, mais nous nous trompions tous les deux. Elle n'était pas…

Il haussa les épaules.

— Elle n'était pas celle qu'il me fallait.

— Oh…

Etrangement jalouse, Annie s'efforça de poser sur son visage le masque de la sérénité. La vie privée de Wyatt ne la regardait pas.

— Eh bien…, reprit-elle. Il est heureux que vous vous en soyez aperçus avant qu'il ne soit trop tard.

— C'était le destin ! répondit-il avec un long soupir. Mais au moins, l'un de nous a trouvé la personne de sa vie, n'est-ce pas ?

Au grand soulagement d'Annie, MaryPat alluma la lumière du porche et ouvrit les rideaux, détournant ainsi l'attention de Wyatt et l'empêchant de poser une autre question.

— Oh…, murmura Annie.

— J'ai l'impression d'avoir de nouveau dix-neuf ans !

Le rire de Wyatt était doux et séduisant. Il résonnait de toute l'intimité du passé.

— Maman attend de rentrer chez elle. Elle devrait être couchée depuis longtemps.

Semblant soudain comprendre qu'il n'avait plus beaucoup de temps, Wyatt se pencha vers Annie et prit sa main. Bien que sereines, ses paroles furent empreintes d'un sentiment d'urgence.

— Je voudrais te revoir.

— Wyatt, je ne suis pas sûre que ce soit une si bonne…

— Je ne reste que quelques jours. Je t'en prie.

— Quelques jours ?

Son cœur supporterait-il quelques minutes de plus d'être si proche de Wyatt ? Caresser un espoir qu'elle ne devait ni ne pouvait nourrir était une véritable torture. Il lui fallait reprendre le contrôle de son esprit avant de replonger tout droit dans ce passé douloureux. Alors qu'elle s'enivrait de son parfum masculin, épicé et sensuel, à jamais gravé dans sa mémoire, elle savait qu'elle souffrirait avant même son départ. L'intensité de sa douleur dépendrait du nombre de fois, au cours des prochains jours, où elle lui permettrait de bouleverser son monde parfaitement protégé.

— Tu sais, tu ne m'as pas encore dit la véritable raison de ta présence ici… Je ne suis pas persuadée que tu aies fait tout ce chemin uniquement pour me présenter tes excuses.

— J'aurais dû le faire voilà bien longtemps, répondit-il avec un sourire piteux. Je ne l'ai pas fait, et j'en suis désolé.

— Cesse de répéter ce mot.

— Désolé…

Ils s'esclaffèrent tous les deux.

Wyatt enroula une mèche des cheveux d'Annie autour de son doigt.

— En vérité, j'ai effectivement une autre raison d'être ici. L'une de mes demi-sœurs habite depuis peu à Keyhole. Ma famille m'a demandé de venir voir si tout allait bien pour elle… Et puisque j'étais ici, j'ai pensé que je devais m'excuser.

— Je te l'ai déjà dit, tu ne me dois aucune excuse.

— Mais si. Dînons ensemble, demain soir, tu veux bien ? Il y a tant d'autres choses que je voudrais te dire. Cela m'aiderait à mieux dormir, à l'avenir.

Il posa sa main sur la joue d'Annie. Elle n'avait encore jamais vu une telle vulnérabilité dans l'expression de son visage. Ce n'était pas juste… Il lui avait fallu près de deux ans pour se consoler de leur séparation, et voilà qu'elle sentait sa détermination stoïque s'évanouir au seul contact de sa main. Doucement, il caressa sa joue avec son pouce, et elle s'appuya contre sa main. Tandis que les souvenirs bouleversaient son bon sens ordinaire, elle se sentit hocher la tête en signe d'assentiment.

— D'accord, murmura-t-elle, à l'encontre de ses plus fermes résolutions.

Avant de revenir sur sa décision, elle changea de sujet.

— Ainsi, tu as une demi-sœur à Keyhole ?

— Oui, Em… euh, Emma. Elle travaille au Mi-T-Fine Café.

— Emma ? Emma Logan ? Ça alors, depuis le temps que je la connais, je n'avais pas idée que vous étiez de la même famille ! Quelle coïncidence !

— Pour moi, c'est un signe, reconnut Wyatt.

Annie sentit sa gorge s'assécher brusquement alors qu'il plongeait son regard dans le sien.

— Un signe ? Et de quoi ?

Il ne répondit pas.

Dans l'obscurité, les yeux de Wyatt étaient d'un bleu profond où se reflétaient l'ampoule du porche et la douce lueur de la lune. N'était-ce pas la veille qu'elle avait succombé à ce même charme ? Et comme si une seule seconde s'était écoulée depuis, Wyatt l'attira vers lui et approcha son visage du sien.

— Tu m'as manqué…

Il prononça ces mots très doucement, et elle sentit ses lèvres effleurer les siennes.

Elle ne pouvait lui répondre. Admettre qu'il lui avait également manqué ne ferait qu'ouvrir le barrage d'émotions, et son flot dévastateur risquerait de la faire souffrir deux années supplémentaires. Imperceptiblement, il posa sa bouche sur la sienne, et pressa ses lèvres en un baiser si léger qu'elle fut tentée de croire qu'elle l'avait rêvé.

Il s'écarta alors et son regard glissa par-dessus son épaule.

— Ta mère nous observe.

Malgré l'obscurité, Annie devina son sourire. Et elle ne put s'empêcher de sourire aussi.

— Elle ne te fait pas confiance.

— Et toi ?

Annie soupira.

— Je ne sais pas. Je ne sais pas si je peux me fier à mon propre jugement.

— Je te demande de me faire confiance.

— Quelle importance ? Nous vivons dans des mondes radicalement opposés.

— C'est important parce que nous avons eu une histoire commune. Que tu le veuilles ou non !

— Ma mère pense que je dois me méfier de toi.

— Quand on parle du loup…

— Quoi ?

— Elle arrive.

— Tu plaisantes ?

— Non.

Un coup fut frappé à la vitre, côté passager.

— Annie ?

La voix de fausset de MaryPat brisa le romantisme qui s'était installé entre Wyatt et Annie.

Wyatt se pencha pour déverrouiller la portière et Annie l'entendit murmurer au creux de son oreille :

— Je passerai te prendre à ton magasin. Demain. A la fermeture.

MaryPat ouvrit la portière et se pencha à l'intérieur.

— Les enfants, il se fait tard. Wyatt ? Je me demandais si tu pouvais me déposer à la maison ?

— J'en serai ravi, répondit Wyatt.

Puis il serra la main d'Annie une dernière fois avant qu'elle ne descendît de voiture et cédât la place à sa mère.

Bien que MaryPat n'habitât que quelques rues plus loin, le trajet sembla interminable à Wyatt. Le silence était tendu, et il devinait trop bien les pensées qui agitaient l'esprit de la passagère. Il se gara dans l'allée de la maison qu'il connaissait si bien et coupa le moteur. Comme il détachait sa ceinture et s'apprêtait à descendre pour aller ouvrir la portière de MaryPat, celle-ci posa la main sur son bras.

— Je t'en prie, Wyatt. Inutile de m'accompagner jusqu'à la porte.

— Cela ne me dérange pas.

— Je sais. Mais la lumière du porche est allumée et je ne suis pas si vieille. Je ne suis pas non plus…

Elle se tourna vers lui et le regarda à la faible lueur du tableau de bord.

— … trop faible pour te botter le derrière si tu t'avises de faire encore du mal à ma fille !

Wyatt remarqua ses lèvres retroussées et son regard acéré. Il sut qu'il avait intérêt à garder le silence et laisser MaryPat dire ce qu'elle avait sur le cœur.

Elle prit une inspiration si profonde que son sac posé sur ses genoux se souleva.

— Il lui a fallu beaucoup de temps pour t'oublier, mais Dieu merci, elle a fini par y arriver et elle a pu reprendre le cours de sa vie. Elle a épousé un gentil garçon d'ici et elle a eu deux enfants formidables. Elle a enduré pas mal de choses…

MaryPat se tourna sur son siège et, levant la main, elle compta sur ses doigts à mesure qu'elle énumérait :

— D'abord, elle t'a perdu. Ensuite, elle a perdu son père. Après, elle a perdu Carl. Tu vois où je veux en venir ?

L'esprit bouillonnant, Wyatt hocha lentement la tête.

— Ma fille ne peut plus endurer aucune disparition. Alors, si je peux te donner un petit conseil — car Dieu seul sait pourquoi, j'ai un faible pour toi —, va-t'en immédiatement et laisse-la en paix.

Si c'était là le faible de MaryPat à son égard, il préférait ne pas avoir à l'affronter quand elle était de mauvaise humeur.

Elle lui frappa la poitrine du doigt et son expression agressive s'adoucit légèrement.

— A moins, bien sûr, que tu n'aies des intentions sérieuses ?

Wyatt soutint son expression inébranlable. Pendant de longues secondes, ils s'affrontèrent du regard. Enfin, le sourire que Wyatt s'efforçait de réprimer se dessina sur son visage.

— MaryPat, ne vous a-t-on jamais dit que vous étiez une sacrée nana ?

— Eh bien… Si !

Prise au dépourvu, elle s'esclaffa.

— Le père d'Annie me disait ça, de la même façon.

Elle tapa sur son sac.

— Est-ce que je vais avoir le plaisir de te revoir, ou en avons-nous terminé ?

Wyatt se pencha en avant et embrassa sa joue à la douceur de pêche.

— MaryPat, tout ce que je peux vous dire c'est que mes intentions sont sérieuses. Mais je ne suis pas seul. Annie a son mot à dire, elle aussi. Pour l'instant, j'espère seulement qu'elle voudra bien m'écouter et me pardonner. J'espère pouvoir lui prouver que j'ai beaucoup changé. Un jour, peut-être…

Il hésita, redoutant, s'il exprimait ses pensées à voix haute, de compromettre ses chances.

— … Un jour, peut-être pourrons-nous avoir un avenir ensemble. Je ne sais pas encore.

MaryPat se racla la gorge.

— Si j'étais à ta place, je n'y compterais pas. Elle a eu sa dose, avec les hommes.

Sur ces mots, elle ouvrit sa portière et jeta son sac par terre comme s'il s'agissait de l'ancre d'un petit bateau.

— Mais je plaiderai ta cause. Ma fille mérite un peu de bonheur.

Tout en faisant marche arrière pour quitter l'allée, Wyatt sortit son téléphone portable de la boîte à gants et, du pouce, il afficha le numéro d'Emily à l'écran. Celle-ci répondit à la deuxième sonnerie.

— Emily ?

— Wyatt ?

— C'est moi. J'appelais pour savoir comment tu allais.

— Mais tout va pour le mieux, cher grand frère, dit-elle en riant. Je n'arrive toujours pas à croire que tu sois en ville. Je déteste tellement être loin de ma famille ! Alors t'avoir ici me paraît… fabuleux !

Wyatt sourit. Emily se montrait parfois délicieusement enfantine.

— Moi aussi, je déteste être loin de la famille. Je crois que je commence vraiment à comprendre ce que cela veut dire.

— Tant mieux ! J'espère bien te voir plus souvent, à l'avenir. Tu pourrais commencer par passer au restaurant demain. À l'heure du déjeuner. Les hamburgers sont au menu toute la semaine.

— Mmm… ! Ça m'a l'air tentant. Je viendrai. Hé, au fait ? Est-ce que tu veux que j'aille faire un tour dans ton quartier, ce soir ? Pour m'assurer que tout va bien ?

— Je te remercie, mais ce n'est pas nécessaire. Toby doit passer par ici en faisant sa ronde.

— C'est ton petit ami ?

Il aimait toujours la taquiner au sujet de ses amourettes, et il fut récompensé par un cri de protestation.

— Tu plaisantes ! s'écria-t-elle. Ce n'est qu'un ami, pour l'amour du ciel !

— Holà ! J'ai l'impression que tu protestes un peu trop pour être honnête !

— C'est le shérif, alors arrête de raconter n'importe quoi.

— D'accord, je te laisse sous la garde de l'homme de la loi. Et ferme bien ta porte !

— Compris.

— Et tes fenêtres.

— Pigé.

— Allume la lumière sous ton porche.

— C'est fait ! dit-elle, exaspérée.

— Bonne nuit, Em.

— Bonne nuit, Wyatt.

Conduisant sur le pilote automatique, Wyatt rangea son téléphone dans la boîte à gants et traversa le quartier ancien et coquet où habitait MaryPat, avant de prendre la direction du centre-ville. Lorsqu'il arriva dans la rue principale, il s'arrêta devant l'enseigne de Summer's Autumn Antiques et regarda attentivement la façade accueillante. De minuscules ampoules blanches clignotantes encadraient la devanture et surlignaient la silhouette du magasin tout entier. La composition de la vitrine se voulait une page des années passées : des objets anciens, chaleureux et colorés, se mêlaient à de l'artisanat fantaisiste d'artistes locaux. Sur le trottoir, les deux bancs qui flanquaient la porte d'entrée étaient surmontés d'un panneau indiquant : « Salle d'attente pour les maris ».

Annie avait plutôt bien réussi. Elle s'était construit une vie stable. Et bien plus heureuse que la sienne, sur le plan affectif.

Tandis qu'il redémarrait lentement à la recherche d'une place de parking à proximité de son hôtel, Annie occupait son esprit et ses sens. Le léger baiser d'au revoir qu'ils avaient échangé aiguillonnait son désir bien plus qu'il ne l'eût souhaité. Il poussa un profond gémissement. Et maintenant ? Il ne savait plus où il en était.

A quoi pensait-il donc, en promettant à MaryPat de ne pas revoir Annie sans intentions solides ? Comment pouvait-il être sérieux ? Il aimait les grandes villes, tandis qu'elle était attachée à sa petite bourgade. Sans compter qu'aujourd'hui, son univers incluait deux bambins aux cheveux roux et le fantôme de ce gentil garçon du coin qu'elle avait épousé.

Pourtant, il aimait Annie. Cela, il en était sûr. Et il ne renoncerait pas avant que tout fût dit entre eux. De toute évidence, entre Annie et Emily, il n'allait pas beaucoup dormir, cette nuit. Troublé et fatigué, il trouva enfin un emplacement, gara sa voiture, ferma les portières et traversa la rue vide en direction de son hôtel.

Il était si profondément plongé dans ses réflexions en montant les quelques marches qu'il ne remarqua pas la flamme vacillante d'un briquet dans la cabine téléphonique à côté de l'hôtel. Il ne remarqua pas non plus l'odeur âcre de cigarette portée par la brise du soir, et n'entendit pas les grossièretés murmurées par Silas Pike tandis qu'il composait un numéro à Prosperino, en Californie.

Patsy retira sa lourde boucle d'oreille en or, alla fermer à clé la porte de sa suite et se précipita pour répondre à la sonnerie de son téléphone portable. Fort heureusement pour elle, une énième fête en l'honneur des futurs mariés se déroulait au même moment dans le jardin. Cette fichue famille comptait tellement de membres, outre les enfants naturels, adoptés ou accueillis, que personne ne remarquerait son absence délibérée.

Elle s'empara de l'appareil et le coinça entre son épaule et son menton.

— Oui ? lança-t-elle.

Seul Œil-de-Serpent avait son numéro, aussi savait-elle qui l'appelait.

Patsy plissa son nez délicat. Elle pouvait presque sentir l'haleine fétide sur la ligne. Se laissant tomber sur le bord du lit, elle rassembla ses forces, prête à entendre une litanie de mauvaises nouvelles. C'était bien sa chance, d'avoir choisi, parmi tous les minables de son espèce, le seul gangster de Los Angeles qui allait d'échec en échec !

— Vous n'avez pas intérêt à avoir une excuse bidon…

— J'ai trouvé la gamine.

Patsy se figea. Le cœur battant, elle se passa la langue sur les lèvres.

— Vous avez trouvé Emily ?

— Ouais. J'avais raison quand je disais qu'elle était partie dans le Wyoming. Ça n'a pas été facile de la re…

— Vous l'avez retrouvée. C'est tout ce qui compte.

Patsy jeta un coup d'œil par-dessus son épaule. Ces derniers jours, Joe avait l'habitude de surgir au moment le plus inattendu.

— Ouais, je l'ai retrouvée, mais j'ai besoin d'argent…

— Vous aurez ce qui vous revient, et pas un cent de plus, quand le travail sera terminé, siffla Patsy. Quand allez-vous agir ?

— Bientôt. Faut que j'la suive demain à la sortie de son travail pour savoir où elle habite.

Un lent sourire de satisfaction se dessina sur les lèvres de Patsy. Bientôt, la moitié au moins de ses soucis ne serait plus qu'un mauvais souvenir.

— Où est-elle ?

— Envoyez-moi de l'argent et je vous le dirai.

Elle plissa les yeux.

— Je n'aime pas être manipulée, monsieur Pike.

— Moi non plus. J'ai des frais de fonctionnement. Vous voulez que le travail soit fait ? Payez !

Patsy serra le combiné comme s'il s'agissait de la gorge de Œil-de-Serpent. Elle serra jusqu'à ce que ses articulations fussent devenues blanches.

— Où ?

— Un trou perdu du nom de Keyhole. Il y a une succursale de la banque Wyoming Federal Savings dans la rue principale. J'y ai ouvert un compte à Cheyenne, le mois dernier.

Sans les amabilités habituelles, Patsy coupa court à la conversation. Elle détestait le chantage. A moins, bien entendu, d'être elle-même le maître chanteur. Enfin, au moins, elle tenait Emily. La chance était donc en train de tourner.

La police semblait ne plus la soupçonner de la tentative d'assassinat de Joe, Graham déposait régulièrement de l'argent sur son compte en Suisse, et bientôt Emily ne serait plus de ce monde.

Le lendemain soir, au moment où elle affichait la pancarte « Fermé » sur la porte, Annie aperçut Wyatt qui descendait la rue, comme il l'avait promis.

Son estomac fit un bond aussi violent que lorsqu'elle était enceinte des garçons. Elle appuya sa main sur sa poitrine, dans l'espoir dérisoire d'apaiser les battements saccadés de son cœur. Et elle s'accrocha au comptoir qui se trouvait juste derrière elle pour ne pas tomber tant la tête lui tournait, tant elle se sentait faible... Les émotions se bousculaient en elle tandis qu'elle attendait et redoutait tout à la fois son arrivée. Malgré son envie de balayer toute prudence et de se précipiter corps et âme dans le passé, elle ne pouvait agir ainsi.

La nuit précédente, après avoir longuement réfléchi, elle avait décidé de renoncer à ce dîner avec Wyatt. Passer ainsi du temps avec lui n'était pas salutaire. Si un seul petit dîner et un minuscule baiser suffisaient à bouleverser son cœur à ce point, quel effet aurait une autre journée ? Elle ne voulait pas prendre le moindre risque, car elle se sentait bien trop vulnérable. En outre, elle devait penser à ses garçons.

Tandis qu'elle cherchait sa respiration et qu'elle paniquait à l'idée de ce qu'elle allait lui dire, la porte du magasin s'ouvrit à toute volée. Wyatt apparut, aussi séduisant et sûr de lui que jamais. Sa farouche détermination à le renvoyer subit un sérieux revers.

— Bonjour, parvint-elle à articuler, submergée par cette attirance physique qui ne l'avait jamais vraiment quittée.

D'ailleurs, elle n'avait pu fermer l'œil de la nuit, revivant encore et encore leur fugitif baiser.

— Bonjour.

Son sourire, qui lui rappelait l'adolescent audacieux avec lequel elle avait autrefois rêvé de passer sa vie, s'épanouit sur son visage. Une partie d'elle-même mourait d'envie de se précipiter vers lui et de nouer ses bras autour de son cou pour l'embrasser... Comme elle le faisait par le passé.

Non !

Secouant légèrement la tête, elle prit une profonde inspiration et s'écarta du comptoir pour lui faire face.

Non, non et non. C'était ridicule. Elle ne devait pas laisser une histoire ancienne perturber les plans bien établis qu'elle s'était fixés. Elle pouvait lui résister. Elle l'avait déjà fait, et elle le ferait encore.

Elle entendit dans la salle de jeux les rires et les chamailleries de Noah et Alex, par-dessus les bruits électroniques d'un jeu vidéo. Chopper aboya.

Wyatt tourna la tête vers le fond du magasin avant de la regarder de nouveau.

— Est-ce que nous déposons tes enfants chez ta mère avant de sortir ?

— Sortir ?

— Nous allons dîner. Tu n'as pas oublié ? Nous ne rentrerons pas tard, si cela pose un problème.

— Non, ce n'est pas ça, c'est juste que je...

Je ne peux pas être dans la même pièce que toi sans oublier pourquoi nous ne devrions pas passer du temps ensemble.

Elle avait la gorge serrée, son esprit marchait à toute allure et elle cherchait les mots du discours qu'elle avait soigneusement préparé et répété toute la journée.

— Je… Euh… J'ai du travail.

Ce n'était pas ça. Annie fronça les sourcils. Ce n'était pas ce qu'elle voulait dire. Elle voulait parler de leurs avenirs divergents, de leurs choix de vie et…

— Du travail ?

Les sourcils froncés, il regarda autour de lui.

— Je… Eh bien… J'ai pas mal de choses à faire.

— Quelles choses ?

— Oh, plusieurs choses, tu sais. Un peu de comptabilité, déplacer les meubles et…

— Tu vas déplacer les meubles ? Toute seule ?

Piquée au vif, Annie posa les mains sur ses hanches.

— Je le fais toujours. Je suis bien plus forte que j'en ai l'air.

C'était vrai, du moins en partie. Elle avait appris comment tirer, pousser ou faire glisser les meubles. Mais elle avait aussi toute une équipe de déménageurs qui venait une fois par semaine déballer les arrivages et emballer les pièces vendues.

Une lueur d'ironie dansa dans les yeux de Wyatt.

— Que tu sois une dure à cuire, je n'en doute pas un instant ! Mais tout de même, tu ne devrais pas déplacer de lourdes charges toute seule. C'est la meilleure façon de finir à l'hôpital.

Tout en parlant, il déboutonna ses manchettes et remonta les manches de sa chemise jusqu'aux biceps. Impressionnant… Passait-il encore ses matinées dans une salle de gymnastique ?

— Je vais t'aider. Que veux-tu déplacer ?

— Je… Euh…

Annie le regarda de nouveau.

— Tu n'es pas obligé de faire ça. Honnêtement, je suis capable de le faire moi-même. Vraiment. Laisse-moi.

Va-t'en, je t'en prie. Va-t'en. Va-t'en. Elle avait envie de sauter sur place et de hurler. Il fallait qu'il s'en allât. Elle ne parvenait pas à affronter le tumulte que sa présence créait dans son cœur. Elle lui montra alors la porte d'un geste de la main.

— Va plutôt dîner… Tu dois avoir faim.

Il leva un sourcil plein d'étonnement et la dévisagea tout en essayant de lire en elle.

— Pas plus que toi.

— Eh bien… J'ai déjeuné tard…

Sa voix faiblissait. Elle le connaissait suffisamment bien pour savoir qu'il ne parlait pas de nourriture. Son attitude désinvolte et la moue provocante de sa bouche parlaient à elles seules.

— Voyons, Annie… Je ne pourrai pas avaler une seule bouchée en sachant que tu es là, probablement coincée sous une armoire ou quelque chose comme ça. Je t'en prie ! Laisse-moi t'aider.

Annie soupira profondément quand elle comprit que son plan venait de se retourner contre elle. Tel l'Excalibur plantée dans un roc, Wyatt se tenait debout, impossible à ébranler, obstiné, attendant les ordres. Il ne lui restait plus qu'à inventer quelques tâches pour les occuper tous deux.

Cela dit… Du regard, elle parcourut son magasin en désordre. Elle avait envie depuis longtemps d'apporter quelques modifications, mais elle n'avait jamais trouvé le temps de le faire. Les allées étaient bien trop encombrées, et un fauteuil roulant n'aurait pu y circuler. Quant aux meubles placés au fond du magasin, ils n'avaient pas vu un chiffon depuis des mois.

— Parfait. Je pense que nous devrions déplacer les plus gros meubles…

La voix enthousiaste d'Alex déchira soudain le silence de la salle de jeux :

— Hé, Noah ! L'épouvantable monstre de l'espace est là !

Son cri de jubilation entraîna celui de son frère, et bientôt Wyatt se retrouva en train de lutter avec deux ouragans aux cheveux roux. Un enfant se démenant avec joie sous chaque bras, Wyatt bondit dans l'entrée avant de partir au trot dans les allées les plus larges.

— Le monstre de l'espace a faim ! grogna-t-il. Il veut des petits garçons pour son dîner !

Remuant la queue en tout sens, Chopper se mêla à la bataille, aboyant et gambadant avec les enfants.

Les gloussements hystériques des jumeaux suscitèrent un sourire pétillant qui commença au plus profond d'Annie et s'épanouit sur ses lèvres. Les garçons avaient tant besoin de l'influence d'un homme ! De l'attention d'un homme. De ses jeux. De son contact bagarreur et de ses taquineries. Ils semblaient s'épanouir du fait de sa seule présence.

Exactement comme elle.

Elle enroula une mèche de cheveux autour de son doigt et les regarda entrer dans un monde d'hommes dans lequel elle n'était pas conviée. Elle avait beau essayer d'être présente pour ses garçons, d'inventer des jeux et de chahuter avec eux, c'était manifestement différent avec Wyatt. Ils avaient besoin d'une figure paternelle.

Pourtant, même en sachant cela et malgré tous ses efforts, elle ne parvenait pas à regretter Carl.

— Hé, les monstres ! cria Annie au-dessus du tintamarre. Je fais un saut à côté pour acheter de quoi manger.

Ils ne s'arrêtèrent même pas pour lui répondre. Wyatt avait jeté Noah sur un sofa et le chatouillait tout en luttant contre Alex qui l'attaquait par-derrière.

— Aïe ! hurla-t-il en faisant tomber Alex sur le sofa à côté de son frère.

Sans se laisser intimider, ils se relevèrent et l'attaquèrent sur-le-champ.

— Baaah ! cria Alex. Tu as vraiment de grandes dents, épouvantable monstre !

— C'est pour mieux te manger !

Wyatt parvint à arracher les garçons hilares qui s'accrochaient à lui, et les balança au milieu des coussins moelleux sur le vieux sofa.

Noah riait si fort qu'Annie eut peur qu'il ne se rendît malade.

— Non, haleta-t-il, tu ne m'auras pas !

Annie ferma les yeux et répéta solennellement ce vœu tout en reculant vers la porte du magasin.

6.

Les emballages froissés de leur dîner de sandwichs au roast-beef, frites et cornichons géants à l'aneth étaient éparpillés sur une table à abattants du début du siècle. Dans tout le magasin, les meubles avaient été époussetés, cirés et nettoyés, déplacés et disposés de façon bien plus pratique, les rendant à la fois plus agréables à regarder et plus accessibles.

Noah et Alex dormaient comme des souches sur le sofa, épuisés après avoir pourchassé Wyatt dans tout le magasin. L'estomac plein, ils s'étalaient tels des chiots repus aux côtés de Chopper, rêvant sans doute d'histoires de poursuites et de monstres de l'espace.

Debout au milieu du magasin, les mains sur les reins, Wyatt se cambrait et s'étirait. Il regarda Annie d'un œil méfiant.

— Et maintenant ?

— Eh bien… Je pense que ce dressoir serait bien mieux là-bas, à côté de la table et des chaises qui l'accompagnent.

Elle ignora sa grimace. Effrayée à l'idée de se retrouver seule avec lui, elle s'obstinait à lui faire déplacer des meubles, davantage pour l'occuper que par nécessité de poursuivre la réorganisation du magasin. Lorsqu'ils se retrouvaient seuls, elle perdait toute capacité à raisonner.

— Ce dressoir ? Le grand ?

Il passa ses mains dans ses cheveux.

— Celui qui est rempli de toutes ces petites babioles fragiles ?

— Ces « babioles », comme tu les appelles, valent très cher. Je vais te chercher un carton, tu pourras les emballer.

— Merci, trop aimable !

Son sarcasme manquait de mordant. Ouvrant grand la bouche, il bâilla et se passa la main sur le visage.

— Tu tiens le coup ?

— A vrai dire, un petit baiser m'encouragerait, dit-il en montrant sa joue. Juste ici.

— Je me suis déjà laissé prendre une fois ! dit Annie en riant. Mais j'ai grandi et je suis plus prudente, maintenant.

— Plus belle, aussi.

Il plissa le front de façon théâtrale.

— Et plus sensuelle…

— Remets-toi donc au travail.

Elle rit de nouveau et s'éloigna rapidement, consciente qu'elle devait garder ses distances si elle ne voulait rien regretter.

— Toujours aussi autoritaire, protesta Wyatt tandis qu'elle quittait la pièce.

Annie dénicha dans l'arrière-boutique un carton et des matériaux d'emballage qu'elle apporta à Wyatt. Aussitôt, il s'empara d'une feuille de plastique à bulles et entreprit de faire éclater les petites poches d'air.

— J'adore ce truc ! J'en voudrais en cadeau pour Noël, si jamais tu cherches des idées.

— Quel gamin ! Donne-moi ça avant de réveiller les enfants.

Elle tendit la main pour saisir la feuille de plastique, mais aussitôt il leva les bras au-dessus de sa tête et continua à faire claquer les bulles d'air, un sourire béat sur les lèvres.

— Jamais ! Cela fait longtemps que je ne me suis pas autant amusé.

Pop ! Snap ! Crack ! faisaient les petites bulles.

— Et en plus, je parie que tes garçons adoreraient ça !

— Ils adorent. C'est bien pour ça que c'est la dernière feuille de plastique qu'il me reste.

Elle sauta en l'air mais une fois encore il l'esquiva. A son grand dépit, elle se prit à rire.

— Tu l'abîmes. Ça ne sert plus à rien, lorsque les bulles sont crevées. Wyatt Russell, donne-moi ça. Immédiatement !

— Attrape si tu peux !

Pop! Crack!

— Wyatt !

— Quoiaaa ?

Il recula de quelques pas en sautillant.

Annie croisa les bras.

— Au pied, tout de suite !

— Ah, j'adore quand tu fais preuve d'autorité !

Une hilarité étourdissante s'empara d'elle lorsqu'elle le vit tourner les talons et se sauver.

— Wyatt, nous n'avons pas de temps à perdre. Nous avons du travail.

Il tourna brusquement dans un angle et se rua dans l'allée des armoires. *Pop ! Pop ! Pop !* Incapable de résister, Annie se précipita à sa poursuite. Ils se faufilèrent et zigzaguèrent au milieu des meubles, riant et grommelant, bondissant au-dessus de canapés et autres petits meubles anciens. Annie s'essouffla en essayant de suivre son rythme endiablé. Wyatt plongea dans un coin, s'arrêta et se cacha. Lorsque Annie arriva en courant, il se releva et l'attrapa. Elle cria de surprise et il couvrit sa bouche avec sa main.

— Chut !

La poitrine haletante, il l'attira dans ses bras. Elle l'entendit rire au creux de son oreille.

— Tu vas réveiller les garçons…

— Ah oui ! Comme si c'était moi qui faisais tout ce tintamarre !

Elle tendit les mains dans le dos de Wyatt et parvint à s'emparer du morceau de plastique.

— Rends-moi ça !

— Jamais !

Elle se tortilla en tous sens pour échapper à son étreinte.

— Jamais ?

Il affirma son emprise.

Elle pouffa de rire, se sentant soudain détendue. Faible... Etourdie... Heureuse... Séduisante... Tout cela pour la première fois depuis tant d'années.

— Jamais !

— Même si je menace de t'embrasser ?

— Ça ne change rien.

— Est-ce que c'est une invitation à t'embrasser ?

— Tu es toujours d'un tel égocentrisme !

— Mais je suis aussi irrésistible, n'est-ce pas ?

Il enfouit son visage dans son cou et elle sentit cette partie de son corps se couvrir, en un éclair, de frissons délicieusement agréables.

— Oui, approuva-t-elle dans un souffle. Tu es toujours irrésistible. Même en pleine force de l'âge.

— *Quoi ?*

Il se recula et tonna.

— Tu vas voir ce que c'est, la force de l'âge !

La serrant dans ses bras, il attaqua son cou, pinçant, mordillant et embrassant sa peau, sa langue traçant un sillage humide et brûlant jusqu'à sa mâchoire. Elle renversa la tête en arrière et entendit l'éclair qui les électrisa tous les deux.

Ou bien était-ce le plastique à bulles auquel elle s'accrochait de toutes ses forces ?

— Je vois que vous travaillez dur.

Annie et Wyatt se séparèrent en sursautant et tournèrent la tête en direction de la voix. Ni l'un ni l'autre n'avaient entendu Emma entrer. Annie savait que le sourire penaud de Wyatt reflétait le sien.

Les sourcils levés sous l'effet de la curiosité, Emily ferma la porte derrière elle et s'avança dans le magasin.

— J'espère que je ne vous dérange pas ?

— Non !

Annie rougit.

— Pas du tout ! Nous étions juste en train de... Nous...

— Nous étions en train de vérifier que le plastique à bulles n'était pas crevé après tout ce temps, acheva Wyatt d'un ton désinvolte.

Heureusement, même après de nombreuses manipulations, il est en parfait état.

— Tu vas te taire ? marmonna Annie en lui décrochant un coup de coude dans les côtes.

Emily leur sourit et montra la bouteille Thermos qu'elle apportait du restaurant.

— Tant mieux. Je vous apporte du café. Je me suis dit que peut-être… vous aimeriez faire… euh…

Mal à l'aise, ils se dévisagèrent quelques instants.

— … une pause, ajouta-t-elle enfin.

Ils éclatèrent de rire et la tension disparut.

— Une pause ! Quelle bonne idée ! Cette femme me fait trimer comme un esclave…

— En effet, je vois ça, railla Emily.

— Hé ! Qu'est-ce que tu crois ? Elle ne me lâche pas un instant, se plaignit Wyatt en tirant la langue à Annie.

— Moi ? s'insurgea-t-elle. Allons, Wyatt ! Tu n'aurais pas un dressoir à déplacer ?

— Ah ! Tu vois bien !

Il ne bougea pas.

— Alors, reprit Emily tout en préparant les tasses à café, Wyatt m'a dit que vous étiez ensemble à l'Université ?

Annie leva les mains dans un geste évasif.

— Nous nous connaissions, en effet.

Wyatt lui décocha un regard étonné.

— Nous travaillions ensemble à la cafeteria, corrigea Wyatt.

Son petit sourire narquois suggérait bien davantage.

— Que le monde est petit ! Depuis le temps que je te connais, Annie, je n'avais pas idée que tu avais été en classe avec cette andouille, constata Emily en versant à chacun une tasse de café fumant.

— Surveille tes paroles, avorton !

Wyatt lui ébouriffa les cheveux de ce geste propre aux frères et sœurs, puis, avec un dernier clin d'œil adressé à Annie, il emporta sa tasse vers le dressoir et commença à emballer les fragiles bibelots de verre.

— Moi aussi, j'ai été surprise quand Wyatt m'a dit que vous étiez de la même famille. Keyhole est pourtant loin de Prosperino, non ?

— Je me plais ici. C'est… comme à la maison.

— Je suis bien d'accord avec toi.

Wyatt leva les yeux vers Annie. L'expression énigmatique de son visage la déstabilisa. Pourquoi se sentait-elle soudain coupable ? Elle essaya de se débarrasser de ce sentiment, et reporta son attention sur le travail que Wyatt et elle avaient accompli au cours de la soirée.

En compagnie d'Emma, elle fit le tour du magasin. La jeune fille la complimenta sur la nouvelle disposition des meubles et, de façon aussi discrète que possible, elle essaya d'en apprendre davantage sur sa relation avec Wyatt.

Tournant le dos à son frère, Emma demanda sans le moindre scrupule, à voix basse :

— Est-ce que vous deux… vous êtes ensemble ? Parce que si c'est le cas, j'ai besoin de savoir. Il faut qu'il paye pour toutes les années où il m'a embêtée — ou plutôt *persécutée* — à propos de tous les garçons dont j'avais le malheur de prononcer le nom. Tu imagines, n'est-ce pas, connaissant Wyatt comme tu le connais ?

La main sur le menton, Annie jeta un coup d'œil à Wyatt. Même s'il faisait semblant d'être absorbé par le déménagement du dressoir, il écoutait attentivement ce que se disaient les deux jeunes femmes.

— J'imagine, en effet, répondit Annie.

Amusée, elle se mordit la lèvre.

— En fait, poursuivit-elle, nous sommes des amis de longue date. Wyatt est seulement passé pour me dire bonjour en souvenir du bon vieux temps.

En entendant ses paroles étouffées, Wyatt leva les yeux. Son sourire indolent et son regard séducteur défiaient ce qu'elle venait de dire. Elle lui tourna le dos. Annie n'avait guère envie de se confier ni même d'en parler à quiconque. En parlant, le problème devenait réel, et elle préférait se dissimuler derrière le réconfort de l'ignorance.

Qu'est-ce que cela pouvait bien faire, que Wyatt fût à Keyhole pour quelques jours ? Son séjour n'aurait aucune incidence à long terme. Lorsqu'il quitterait la ville, les garçons l'oublieraient rapidement, et la vie reprendrait son cours normal. Une fois, bien sûr, qu'elle serait remise de l'opération à cœur ouvert de ce cher Cupidon. Impossible de dire combien de temps durerait sa convalescence…

Etonnée, Emily les regarda tour à tour et renonça finalement à obtenir plus d'informations de la part d'Annie.

— Comment rentres-tu chez toi ? demanda Wyatt à Emily tandis qu'elle rassemblait ses affaires et se préparait à partir.

— Toby vient dîner bientôt. Ensuite, il me raccompagnera chez moi.

— Toby-le-tigre ?

Dodelinant de la tête, Wyatt lui décrocha un sourire persifleur.

— Tu vois ce que j'ai enduré ? demanda Emily à Annie.

— Je sais exactement ce que tu ressens.

Si Annie compatissait avec Emma, elle devait bien avouer que c'étaient les taquineries de Wyatt qui lui avaient le plus manqué. Carl, lui, n'avait jamais eu aucun sens de l'humour.

— Bonne nuit, les enfants.

Avec un dernier geste de la main à leur intention, Emma disparut dans la nuit.

Œil-de-Serpent écarta le sac de papier brun autour du goulot de sa bouteille et, renversant la tête en arrière, il avala une bonne lampée d'alcool. Le whisky bon marché lui arracha quasiment la gorge, mais il ne s'attarda pas à ce détail. Un dollar était un dollar, et en attendant que son compte fût approvisionné, il devait se montrer économe. Il était allé à la banque dans la journée, et le guichetier l'avait informé qu'aucun versement n'avait été effectué sur son compte.

Le grognement qu'il émit arrêta net le chant d'un criquet nocturne. Pas de versement, pas de mouvement de sa part. Cette Coltons finirait bien par payer. D'une façon ou d'une autre.

Il jura contre le moustique qui bourdonnait contre son oreille et le tua du revers de la main, laissant une traînée de sang sur sa joue. Puis il fit craquer des brindilles en cherchant une position plus confortable dans les taillis remplis d'épines qui entouraient la maison.

Impossible d'être bien installé !

Des ronces de mûrier le griffaient, des insectes le piquaient et une multitude d'animaux sauvages…

Œil-de-Serpent but encore une généreuse goulée. Les risques qu'il prenait méritaient un salaire. Et il se ferait payer. Il regarda sa montre. La fille n'allait pas tarder à rentrer.

Plus tôt dans la journée, il avait habilement interrogé plusieurs habitués de l'endroit où elle était employée, et à présent, il connaissait assez bien son emploi du temps. Elle travaillait pendant le coup de feu du déjeuner puis, quand le rythme s'apaisait, elle rentrait chez elle quelques heures. Ensuite, elle rejoignait l'équipe du soir. N'ayant rien de mieux à faire, Silas Pike l'avait suivie après le déjeuner jusqu'à sa maisonnette, qui ressemblait à un motel. Lorsqu'elle était repartie, il s'était invité chez elle, avait fureté à droite et à gauche, chapardé de menus objets et cassé la croûte. Pour finir, il avait arrangé les rideaux et les stores de sa chambre de manière à pouvoir facilement l'espionner le soir venu.

A présent, assis dans le fourré à l'entrée de l'allée, il s'offrait un petit cocktail avant le spectacle. Il avait trouvé chez elle quelques crackers et un morceau de fromage de chèvre odorant. Et tout en mangeant, il imaginait ses derniers instants.

Tuer la gamine allait être l'un des contrats les plus plaisants qu'il eût jamais exécutés. Elle avait un petit corps magnifique, ce qui ne gâcherait en rien le travail. Le whisky commençait à échauffer son cerveau, et son esprit se remplit de sentiments confus à l'égard de la petite Emily. Un sacré bout de femme… Il avait intérêt à être vigilant, la prochaine fois qu'il se trouverait face à elle.

Tandis qu'il ruminait assis par terre, les phares d'une voiture tournèrent au coin de la rue et s'engagèrent dans l'allée de la maison d'Emily, éclairant un bref instant la cachette de Silas Pike. Il plongea tête baissée dans le bosquet de mûres et fut généreusement égratigné sur le visage, les mains, les bras et le bas du dos.

Il ne put réprimer quelques jurons, et un chien se mit à aboyer dans la maison voisine.

Œil-de-Serpent engloutit une autre lampée de ce tord-boyaux pour apaiser la douleur. Il entendit le bruit de portières qu'on claque, puis l'aboiement strident du roquet, et pour finir une voix très douce.

— Rrrr... Arrrrp ! Arp, arp, arp !

— Fifi, tais-toi !

— Rrrrrrrr... Arp! Arp!

— Fifi, chut ! Tu vas réveiller tout le quartier.

Œil-de-Serpent jeta un œil en direction du cabot bien bichonné, avec un ruban autour du cou, que quelqu'un avait attaché à une petite niche. Les aboiements redoublèrent d'intensité. Fifi avait dû sentir quelque chose.

— ARP ! ARP ! ARP !

— C'est le caniche de mes voisins. Elle n'a pas dû vous reconnaître.

Des bruits de pas atteignirent la porte.

— Merci de m'avoir raccompagnée, Toby. Vous n'étiez pas obligé...

— Rrrrrrrr !

— Tout le plaisir est pour moi.

— Grrr... !

— Fifi ! Tais-toi ! Tu vas vexer ce pauvre Toby. Toby, voulez-vous entrer prendre une tasse de café ? J'ai du gâteau au citron.

Toby accepta sans hésiter.

— Bien sûr, ma pause n'est pas encore terminée.

La porte d'entrée se referma et le verrou fut tiré.

Œil-de-Serpent serra les dents et poussa un juron. Il adorait le gâteau au citron. Ou l'avait-elle donc planqué ? Après quelques contorsions, il réussit enfin à sortir du buisson de ronces. Il roula jusqu'au bord de l'allée et se retrouva nez à nez avec une Fifi en furie. Œil-de-Serpent replongea une nouvelle fois dans le buisson, mais il était trop tard. Plus souple et plus sobre, Fifi avait en outre l'avantage de voir dans le noir et d'être protégée par son pelage.

Les rues s'étaient vidées depuis longtemps et l'obscurité avait enveloppé la petite ville paisible de Keyhole. Les réverbères s'étaient allumés depuis quelques heures. Annie eut l'impression que Wyatt et elle étaient les deux seules personnes éveillées à cent kilomètres à la ronde.

— Tu as vraiment fait quelque chose de ce magasin, chuchota Wyatt en soulevant sa tasse et en soufflant sur le café trop chaud.

Ils parlaient à voix basse, même si les jumeaux ne s'étaient pas réveillés malgré les claquements des bulles d'air, leur poursuite puérile et la visite d'Emily. Annie avait déniché des cookies dans un placard de la salle de jeux, et ils se régalaient de ce dessert improvisé. Elle inclina la tête et suivit son regard.

— Tu crois ? Je ne suis pas sûre. J'ai grandi ici. Tous les changements que j'ai apportés se sont faits au fur et à mesure.

Elle prit un cookie et s'assit sur une chaise à côté de lui.

D'un geste, il engloba le magasin qu'ils avaient passé la soirée à astiquer.

— Ce magasin est fantastique. Tu as des pièces très intéressantes. Et ton coup de pinceau a nettement progressé au fil des ans.

Annie se sentit rougir.

— Mais non, murmura-t-elle en baissant la tête.

Elle n'était pas dupe. Il lui faisait ce compliment uniquement par gentillesse.

— Mais si, insista-t-il. Regarde celui-là, par exemple.

Il montrait une scène pastorale qu'elle avait réalisée l'année précédente.

— La façon dont tu as saisi le reflet de cette grange dans la flaque d'eau… C'est magnifique ! Tu as toujours été douée, mais maintenant…

Il haussa les épaules sans quitter le tableau des yeux.

— Tu as atteint un niveau exceptionnel. Je connais des galeries, à Washington, qui se battraient pour présenter tes toiles.

Annie hocha modestement la tête.

— Non, merci. J'ai suffisamment de quoi occuper mes journées.

— C'est vrai. Mais réfléchis. Vendre quelques tableaux dans une grande ville de la côte ne te prendrait pas beaucoup de temps. Surtout si quelqu'un t'aide pour l'aspect commercial. Bien sûr, il faudrait que tu te fasses seconder.

Il s'attarda sur les garçons endormis, le visage empreint d'une douce expression.

— En l'état actuel des choses, je ne sais pas comment tu fais pour t'en sortir. Ces marmots viendraient à bout d'un athlète de triathlon.

— Heureusement, je ne joue pas aux monstres de l'espace tous les jours.

Wyatt croisa les jambes, s'adossa à sa chaise et observa Annie à travers la fumée qui montait de sa tasse.

— Tu as eu raison de quitter l'école pour revenir ici, Annie. Même si je pensais le contraire à l'époque.

— Ç'a été difficile de savoir quoi faire.

— Je n'ai pas été d'un grand secours.

— A ta façon si, tu m'as aidée.

Son sourire était triste tandis qu'elle revenait sur leur passé.

— Juste après la première attaque cardiaque de papa, alors qu'il était à l'hôpital, je suis venue ici au magasin pour te téléphoner, parce que c'était plus calme. Bref, tu ne peux pas imaginer ma surprise quand...

Elle détourna le regard, sentit sa gorge se nouer et cligna des yeux. Elle lui lança un sourire larmoyant et enfouit son visage en feu dans ses mains. Etrange comme ce souvenir la pétrifiait encore...

— Annie, mon ange...

Wyatt laissa échapper un profond soupir, à la limite du gémissement. Il posa sa tasse, vint s'installer à côté d'elle et la prit dans ses bras.

— Quand cette fille a répondu et m'a dit que tu étais sous la douche, reprit-elle, je...

Son rire était forcé.

— Je n'ai pas su quoi penser.

Wyatt se passa la main sur son menton, où commençait à pousser la barbe de fin de journée.

— Mon cœur, je suis tellement, *tellement* désolé. C'était un… malentendu.

— Un malentendu ?

— C'est la vérité.

— Pour toi, Wyatt. Mais pas pour moi.

Elle détestait le ton plaintif de sa propre voix et ses yeux qui se remplissaient de larmes.

— Pour moi, c'était un mensonge.

— Avec quelques années de plus et davantage de réflexion, je comprends que tu n'aies pas cru mon explication. Mais, Annie, après toutes ces années, je n'ai plus aucune raison de te mentir.

Il attira sa tête contre sa poitrine et elle entendit son cœur qui battait aussi vite que le sien. Prenant son menton, il l'obligea à relever la tête et à croiser son regard.

— Je te dis la pure vérité. Cette fille dans ma chambre n'était qu'une camarade avec laquelle je révisais. Tout simplement. Je t'assure qu'il n'y avait rien d'autre. Absolument rien, Annie. J'étais fou amoureux de toi.

Annie inspira profondément et retint sa respiration un instant. Dans son cœur, elle l'avait toujours su. Mais son univers avait été si violemment secoué par la maladie de son père, et ensuite par ce sentiment de trahison… Un frisson la parcourut.

— Je crois que ce qui m'a vraiment bouleversée, c'était d'entendre que tu étais sous la douche.

— Je te comprends. Mais nous étions tout un groupe d'étudiants. C'était une semaine de révisions. On passait notre temps à revoir les cours, à piquer un somme sur les canapés et à prendre ensuite une douche froide pour se réveiller. Je n'ai même pas su que tu avais téléphoné.

Annie haussa les épaules.

— C'était mieux ainsi. Ta trahison…

— Ma *soi-disant* trahison !

— Tu es bien un avocat !

Elle le regarda fixement, avec une expression amère et mélancolique.

— Quoi qu'il en soit, ce « malentendu » a été le catalyseur dont j'avais besoin pour me décider à reprendre ma vie à Keyhole. Pour abandonner ce rêve idiot de devenir une artiste à la mode…

— Ce n'était pas idiot !

— Comparé à la vie de mon père, si, c'était idiot, Wyatt.

Il soupira.

— Tu as raison. A cette époque, je n'ai tout simplement pas compris. Je commence seulement à savoir ce que signifie une famille. Et tout ce que j'ai manqué pendant ces années.

Son regard se posa de nouveau sur les garçons endormis.

— Annie, je crois que je ne me suis jamais remis de t'avoir perdue.

Elle ferma les yeux.

Moi non plus ! avait-elle envie de crier. Mais cela n'aurait eu aucun sens. Chacun avait poursuivi sa vie de son côté. Ils étaient partis dans des directions radicalement opposées, et il était bien inutile, à présent, de revenir là-dessus.

— On ne peut plus rien y faire. C'est trop tard. Ce qui est fait est fait.

— Je te demande de me pardonner, néanmoins. Je dormirais mieux si je savais que cette brouille entre nous n'a plus lieu d'être. Et que l'avenir sera…

Agacée, Annie recula et passa ses doigts dans sa chevelure bouclée. Puis elle le dévisagea.

— *Quel* avenir, Wyatt ? s'exclama-t-elle avant de se pencher en avant et de baisser la voix pour reprendre le ton du chuchotement intime. Tu habites si loin… Tu t'es construit ta vie. Une vie sérieuse et pleine de responsabilités. Mais moi aussi. Et je suis bien ici. J'ai besoin de ma famille, surtout pour le bien-être de mes garçons. Une amitié à distance, quelle qu'elle soit, ne rimerait à rien.

Annie connaissait trop le mal que la distance leur avait causé par le passé. Comment pouvait-il croire que les choses seraient différentes à présent ?

Wyatt resta silencieux un long moment, avant de demander :

— Annie ? Es-tu vraiment heureuse ici ?

— Mais bien sûr ! Comment peux-tu seulement poser cette question ?

— Parce que autrefois, tu rêvais de devenir artiste et illustratrice.

— Et aujourd'hui, je ne suis qu'une maman ordinaire qui moisit dans une petite ville perdue, c'est ce que tu veux dire ?

— Absolument pas.

— C'est ce que tu pensais !

Elle se leva et commença à rassembler les assiettes en carton et les reliefs de leur repas improvisé. Pour elle, la conversation était close. Les bras chargés, elle se dirigea vers la poubelle sous le comptoir et y jeta le tout. Elle s'épousseta les mains et se retourna si brusquement qu'elle buta presque contre lui.

Il la saisit alors par les bras pour la retenir et ne la lâcha pas.

— Je ne suis pas venu ici pour critiquer ton mode de vie. Pour être tout à fait honnête, je suis un peu jaloux de tout ce que tu as construit autour de toi.

— Certainement !

La tête rejetée en arrière, elle lui adressa un sourire railleur, puis ferma les yeux.

— Wyatt, je sais que je pèche par excès de prudence...

Elle leva les yeux vers lui.

— Malgré tout ce que j'ai pu dire quand nous étions jeunes, j'aurais probablement détesté vivre en ville, dans ces communautés d'artistes qui se haïssent mutuellement. Je suis heureuse ici, à Keyhole, et c'est ici que je veux vivre.

— Tu n'as jamais essayé de vivre ailleurs.

— Je n'ai pas besoin d'essayer, je sais que je ne serais pas heureuse.

— Tu te dissimules derrière ta famille.

— Non, c'est faux. Wyatt, tu as le goût du risque, pas moi. Tu es attiré par les expériences nouvelles, tu adores relever des défis. Si nous nous étions mariés quand nous n'étions que des adolescents, je...

Il resserra son étreinte et l'attira plus près de lui.

— Eh bien ?

Annie ravala ses larmes. Des larmes qu'elle croyait avoir versées voilà des années.

— Je t'aurais empêché d'avancer.

— C'est donc ce que tu penses ?

— J'en suis persuadée.

Elle regarda ailleurs. Les garçons dormaient toujours. La quiétude du magasin n'était troublée de temps à autre que par le carillon d'une horloge ancienne. A part cela, tout n'était que silence.

— Tu ne m'aurais jamais empêché d'avancer, Annie. Est-ce que tu ne comprends pas ? Tu étais tout pour moi ! J'aurais fait n'importe quoi pour toi.

— Sauf abandonner ta carrière.

— A cette époque…

— Est-ce que tu veux dire que tu abandonnerais tout maintenant ? Pour moi ?

Du regard, elle scruta son visage avant de s'arrêter sur sa bouche. Un rictus la serrait légèrement.

— Est-ce que tu me demandes de le faire ?

— Non, murmura-t-elle, ne sachant plus ce qu'elle voulait.

Une semaine auparavant, elle croyait son avenir tout tracé. Gérer le magasin, élever ses garçons, les envoyer à l'Université, profiter de ses petits-enfants, jardiner et peindre un peu. A présent, elle n'était plus certaine de rien.

— Annie…, soupira-t-il en prenant son visage entre ses mains et en plongeant au plus profond de ses yeux. J'ai renoncé à mon avenir avec toi parce que je croyais que c'était ce que *tu voulais.* Je ferais n'importe quoi pour te rendre heureuse. N'importe quoi.

Les yeux brillants, ils approchèrent leurs visages.

— Annie, mon amour, ne sais-tu pas que je suis prêt à mourir pour toi ?

Le cœur d'Annie battait à tout rompre, et elle s'accrocha à lui tandis qu'il cherchait sa bouche.

— Que je meurs d'amour pour toi ?

Il déposa sur ses lèvres un baiser qui la coupa de la réalité et la renvoya à des heures plus insouciantes. Des heures où elle avait toute la vie devant elle. Où elle pouvait devenir tout ce qu'elle souhaitait. Vivre où elle voulait. Vivre avec qui elle voulait.

Et maintenant encore, elle désirait Wyatt.

Meurtri et saignant après sa lutte dans les ronces avec une Fifi déchaînée, Œil-de-Serpent rejoignit en clopinant la voiture d'occasion qu'il avait louée et, la main au-dessus des yeux pour mieux distinguer le numéro des rues qui défilaient devant lui, il gagna la rue principale à la recherche d'une cabine téléphonique. Il réussit à se garer le long du trottoir entre deux voitures sans trop endommager les deux pare-chocs. Ouvrant la portière d'un coup sec, il s'effondra sur le trottoir et resta prostré un long moment, le souffle court.

Poursuivre une fugueuse n'était pas de tout repos.

Une cigarette lui donnerait l'énergie dont il avait besoin pour se remettre sur pieds. Il roula sur le côté, fouilla ses poches rageusement, alluma enfin une cigarette et emplit ses poumons.

Un couple qui se promenait au clair de lune s'approcha de lui et le regarda avec curiosité.

— Herb, n'est-ce pas l'homme qui était couché par terre au restaurant l'autre soir ? s'étonna la femme.

— Il lui ressemble, grogna Herb. Bonsoir, dit-il en se penchant au-dessus de Silas Pike.

La casquette de travers, la peau lacérée, les vêtements couverts de sang, Silas Pike cligna des yeux en les regardant à travers un nuage de fumée.

— Est-ce que vous allez bien ?

La pitié du ton qu'adoptait la femme le rendit fou.

— Ouais. Pourquoi ? Le trottoir t'appartient, ma cocotte ? Parce que s'il t'appartient pas, tu peux aller te fai…

Il fit un geste obscène.

— Espèce de grossier personnage…, s'offusqua la femme.

— Allons, Gert. Laisse-le.

— Je crois que nous devrions appeler le shérif…

— Pourquoi ? Il n'a rien fait de mal.

Leurs voix s'estompèrent et, quand ils se furent suffisamment éloignés, Œil-de-Serpent agrippa la portière de sa voiture et se remit debout. Il vacilla quelques instants puis chancela jusqu'à la cabine téléphonique du coin de la rue. Après avoir passé sa mauvaise humeur sur une opératrice parfaitement charmante, il obtint sa communication avec Prosperino.

Meredith décrocha dès la première sonnerie.

— Pourquoi m'appelez-vous si tard ?

Œil-de-Serpent devina sa colère sous le ton neutre et froid.

— Où est mon argent ?

— Quel argent ?

— Je suis allé à la banque aujourd'hui. Aucun virement.

— Avez-vous fait le travail ?

Silas frappa le combiné contre le mur, histoire de l'agacer davantage.

— Pas avant d'être payé.

— Vous serez *payé* quand le travail sera *fait*.

— Ce foutu boulot sera *fait* quand je serai *payé* !

— Pas d'entourloupe avec moi, espèce d'immonde personnage !

Sa voix vibrait de colère tandis qu'elle prenait une profonde inspiration et murmurait :

— Si vous ne terminez pas ce que vous avez commencé, vous n'aurez plus un sou.

— Je retournerai à la banque demain et nous verrons.

Fatigué par cette conversation, ayant besoin d'un remontant et de quelques pansements, Silas raccrocha et traversa la rue pour rejoindre le seul café qui ne fermait pas la nuit.

Wyatt ignorait combien de temps ils étaient restés debout, leurs corps serrés l'un contre l'autre, leurs mains enlacées, leurs bouches unies, cherchant, communiquant silencieusement les sentiments qu'ils éprouvaient encore l'un pour l'autre. Il savait qu'il pourrait rester ainsi jusqu'à la fin de ses jours sans rien regretter.

Annie le pourrait-elle ? Elle avait retrouvé l'amour. Elle avait construit une vie avec un autre homme. Elle avait créé des vies avec lui. Cela comptait infiniment.

Et puis, il y avait aussi la question de leur lieu de résidence. Avec son frère Rand, il venait d'ouvrir un cabinet d'avocats qui connaissait un plein essor. Annie avait hérité de son père une entreprise familiale qui marchait bien. Entre les deux, il y avait bien deux mille kilomètres. Difficile d'être un bon mari à une telle distance !

Wyatt ne parvenait pas à réfléchir lorsque Annie était si proche de lui. Son parfum, son contact, son goût l'enivraient. Lorsqu'ils étaient ainsi ensemble, toute pensée rationnelle s'évanouissait. Il se prit à rêver qu'il était le père de ces deux petites têtes rousses et réorganisait le magasin pendant le reste de ses jours. Une situation tout simplement irréaliste.

Il posa ses mains sur celles d'Annie nouées autour de son cou. Les lèvres toujours posées sur les siennes, il recula d'un pas.

Elle protesta, faisant écho à ses propres sentiments de frustration lorsque leurs corps se séparaient.

— Il est tard, je dois vraiment partir, chuchota-t-il en embrassant les coins de sa bouche qui venaient de s'affaisser.

Elle fit la moue.

— J'aimerais que tu restes.

— Et que dirions-nous à ta mère ? Aux garçons ? A toi-même, demain matin, quand tu auras eu le temps de regretter ?

— Est-ce que ce n'est pas à moi de dire cela ? Qui t'a inculqué cette dose de sens pratique ?

— L'avocat qui est en moi, je suppose.

— Alors, dis-lui de se taire et de m'embrasser.

Il l'embrassa donc.

Après un baiser empreint d'un besoin désespéré, il s'écarta d'elle et fit plusieurs pas en arrière. Respirant avec difficulté, il passa la main sur son visage et resta debout à la regarder quelques instants.

— Je vais t'aider à mettre les enfants dans la voiture. Ensuite, je te suivrai chez toi pour t'aider à les coucher.

Pétrifiée, Annie hocha la tête.

7.

Profondément endormis, les garçons se laissèrent manipuler comme deux poupées de chiffon. Ils s'éveillèrent brièvement lorsque, l'un après l'autre, Wyatt les transporta de la voiture à leur lit. Chopper marcha pesamment jusqu'à son coussin dans la salle de séjour et, après un grognement fatigué et quelques tours sur lui-même, il se coucha et s'endormit.

— Tu vas rester avec nous cette nuit ? murmura Alex, la tête dans le cou de Wyatt.

Par-dessus son épaule, Wyatt jeta un regard mélancolique en direction d'Annie, qui le suivait avec les chaussures et les blousons de ses enfants.

— J'ai bien peur que non, cow-boy.

— Dommage.

— Je viendrai jouer avec toi demain. Qu'est-ce que tu en dis ?

Pour toute réponse, Alex resserra son étreinte autour du cou de Wyatt et se nicha contre sa poitrine.

Noah n'ouvrit un œil qu'une fois bordé dans son lit.

— Salut, monstre de l'espace.

Sa voix était à peine perceptible. Il n'était encore qu'un bébé, avec ses joues rebondies, ses petits doigts potelés et sa peau douce.

— Salut, fripouille.

Wyatt s'assit au bord de son lit tandis qu'Annie s'affairait à arranger la couette et ramasser le tas de vêtements dont ils venaient de débarrasser les garçons.

Noah tendit les bras vers Wyatt et l'attira contre lui pour lui faire un câlin.

— Bonne nuit.

Tandis que le garçonnet ensommeillé bâillait, son souffle chaud effleura le visage de Wyatt. Avant de lâcher prise, il déposa un baiser sonore sur la joue barbue de son nouvel ami.

— Hé, tu piques ! grogna-t-il.

Wyatt sentit sa gorge se serrer et, à cet instant, il tomba éperdument amoureux des enfants d'Annie.

— Désolé, bonhomme.

Il caressa ses cheveux roux et embrassa son front parsemé de taches de rousseur.

— Tu nous liras une histoire, demain ?

— Promis.

— Chouette.

Noah roula sur le côté et se rendormit aussitôt.

Tandis qu'il restait assis à regarder les enfants dormir, Wyatt sentit qu'Annie glissait ses bras sur ses épaules et les croisait sur son cœur. Elle se tenait derrière lui, et il entendit sa voix au creux de son oreille.

— Merci.

— De rien.

Il continua à voix basse :

— De toute façon, ils sont trop grands maintenant pour que tu les portes.

Il sentit qu'elle souriait contre sa joue.

— C'est vrai, mais ce n'est pas ce que je voulais dire. Merci d'être leur copain. Ils ont besoin de l'influence d'un homme.

— Je me souviens, lorsque j'avais leur âge, je faisais tout pour attirer l'attention de mon père.

— Je veux bien le croire.

Annie soupira et resserra son étreinte. Wyatt posa ses mains sur les siennes.

— Au moins, leur père n'était pas un vieil ivrogne qui les battait à peine rentré à la maison.

Annie resta silencieuse.

— Excuse-moi, reprit-il aussitôt. Je ne voulais pas faire allusion à leur père de cette façon. Je sais que tu…

Wyatt passa sa langue sur ses lèvres sèches. Pourquoi était-il toujours si pénible d'évoquer son regretté mari ? Cet homme n'était plus de ce monde, et pourtant Wyatt se sentait tiraillé par la jalousie chaque fois qu'il pensait à lui.

— Je sais que tu l'as vraiment aimé, et cela doit être si difficile de les élever sans son soutien…

Annie pencha la tête et l'appuya contre celle de Wyatt.

— Tous les enfants devraient avoir un père bon et aimant. Je sais que mon père a joué un grand rôle dans ma vie.

— Comme Joe dans la mienne.

— C'est un homme formidable.

— Le meilleur.

Bien qu'il n'eût été accueilli dans la famille qu'à l'adolescence, Wyatt avait toujours été considéré comme un membre à part entière du clan Coltons, au même titre que les nombreux enfants biologiques de Joe.

— Il a vraiment fait de toi quelqu'un de bien.

Wyatt se pencha en arrière et lui sourit.

— Je le lui dirai.

— Est-ce que tu vas le voir bientôt ?

— Ce week-end. Ma cousine Liza…

— La cantatrice ?

— Elle-même.

— Je l'ai vue à la télévision. Elle cst merveilleuse, vraiment merveilleuse.

— N'est-ce pas ? Bref, elle se marie samedi.

— Alors, tu vas partir ?

La note de mélancolie qu'il perçut dans la voix calme d'Annie apaisa son cœur.

— Oui. Mais ensuite, je reviendrai ici.

— Pourquoi ?

— J'ai quelques jours de vacances à prendre. Un avantage de la vie de célibataire, je suppose.

— Non, je veux dire... Pourquoi *ici* ?

Wyatt se leva et l'entraîna vers la porte.

— Pourquoi demandes-tu cela ? murmura-t-il avant de l'embrasser pour lui souhaiter une bonne nuit.

Et avec ce baiser, il comprit que commençait quelque chose à quoi il aurait peine à mettre fin.

Le lendemain matin, Wyatt retrouva Emily dans sa minuscule maisonnette à l'heure du petit déjeuner. Le soleil qui entrait à flots par la baie vitrée éclairait le coin salle à manger. Sur une table de jeu, des contenants de toutes sortes, parmi lesquels une vieille chaussure, remplis des premières fleurs du printemps, composaient un véritable jardin botanique miniature. Manifestement, Emily avait hérité de la passion de sa mère adoptive pour le jardinage. Wyatt réprima un sourire. Emily avait dû consacrer ses pourboires de plusieurs mois à l'achat de toutes ces plantes.

Debout dans la cuisine, tandis qu'il l'aidait à la préparation d'une omelette, il comprit pourquoi elle se plaisait à Keyhole. C'était un endroit merveilleux où habiter, tenir un commerce, élever une famille. Chaque jour qui passait le trouvait plus réticent à partir.

Pourtant, il devait partir.

Wyatt regarda Emily à la dérobée, hésitant à troubler cette paisible sérénité en mentionnant le nom de Patsy.

— Est-ce que tu as lu le rapport d'Austin ? demanda-t-il enfin.

Emily leva la tête vers lui, les yeux remplis de larmes.

— Mauvaises nouvelles, hein ? demanda-t-il.

Elle lui lança un sourire humide.

— Non. Je pleure à cause des oignons.

Wyatt éclata de rire. Emily appuya son poignet contre son nez et renifla.

— Cela dit, les nouvelles sont effectivement mauvaises, mais je ne suis pas vraiment surprise. J'ai tout relu une demi-douzaine de fois. Austin a bien travaillé ! Il ne manque rien.

Wyatt rassembla les oignons qu'Emily avait coupés en lamelles et les ajouta aux tomates et aux champignons qui grésillaient déjà dans la poêle.

— Austin ne fait jamais les choses à moitié.

— Je suis contente qu'il ait retracé la vie de Patsy Portman. Tu savais qu'elle avait eu un enfant à dix-huit ans, avec un type du nom de Ellis Mayfair ?

— Oui. D'après mes informations, ce dénommé Ellis était vendeur de voitures d'occasion ; il était marié et rejoignait Patsy deux fois par mois quand il venait en ville. Lorsqu'elle s'est retrouvée enceinte, il a voulu qu'elle avorte. Elle a refusé catégoriquement, en pensant — écoute bien ça ! — qu'elle pourrait *dissimuler* sa grossesse à sa mère et à Meredith.

— Oui, mais le plus étrange, c'est qu'elle a réussi. Comment sa mère a-t-elle pu ne pas remarquer qu'elle était enceinte ?

Déconcertée, Emily secoua la tête.

— Certains rapports disent qu'elle a eu son bébé toute seule dans une chambre d'hôtel avec l'aide de ce Ellis. C'est à peine croyable !

— Oui, c'est insensé.

Wyatt saisit la queue de la poêle et remua les légumes. L'arôme des oignons en train de caraméliser emplit la pièce.

— Et sais-tu qu'elle a assassiné le père de son bébé ?

— Je sais.

— Avec une paire de ciseaux !

— Plutôt brutal.

Ils restèrent silencieux un long moment. Emily jeta une noix de beurre dans la seconde poêle et ajusta le thermostat tandis que la matière grasse glissait dans le fond chaud en grésillant. Devant la fenêtre de sa cuisine, des oiseaux chantaient à tue-tête. Fifi aboya et ils entendirent le bruit des lettres qui tombaient par la fente dans la porte. Une telle conversation, dans cet environnement heureux, semblait presque irréelle à Wyatt.

— Je me demande ce qui a pu la pousser à agir ainsi, reprit Emily.

Elle cassa un œuf et laissa tomber un morceau de coquille dans le saladier. Très concentrée, elle le repêcha avec une cuillère.

— Apparemment, il lui a volé le bébé pendant son sommeil.

— Sais-tu que c'était une fille ? Elle l'a appelée Jewel.

— Je me demande ce qu'elle est devenue.

— Eh bien, selon les infos d'Austin, Ellis l'a *vendue*.

— Je sais.

Emily regarda Wyatt. L'expression plaintive de ses yeux lui rappela la petite fille qu'il poussait sur une balançoire, il n'y avait pas si longtemps.

— Il a vendu sa propre fille, Wyatt ! Quelle sorte d'homme ferait cela ?

— Le type d'homme qui fréquenterait Patsy.

Son soupir était triste, et elle cassa un autre œuf.

— Tu crois que Patsy sais que je suis ici ?

L'inquiétude barrait son front délicat et Wyatt compatit de tout cœur à son inquiétude.

— Non, je ne le pense pas. Mais comme tu as pu le constater, elle est très intelligente. Je ne laisserai rien au hasard. C'est pour cela que je suis tellement préoccupé par ta sécurité.

— Je te remercie.

Un petit sourire apaisa l'anxiété de son expression et elle se remit à cuisiner.

— Tu sais, j'ai trouvé très intéressantes les conclusions sur son état mental quand elle était enfant. D'après ce que j'ai lu, j'ai l'impression que ses problèmes viennent en grande partie du rejet de son père.

Wyatt s'emporta.

— Hé ! Ce n'est pas parce qu'on n'a pas eu un papa gâteau qu'on devient un assassin !

— C'est vrai. Tu es bien placé pour le savoir.

Tandis qu'Emily battait les œufs, il fouilla dans ses placards, pour dénicher enfin quelques assiettes en carton et deux horribles tasses qu'il posa sur le bar minuscule de la cuisine. Bien qu'elle habitât ici depuis moins d'un an, Emily disposait de tout le confort minimum pour vivre confortablement. A voir les ustensiles de cuisine dépareillés, Wyatt comprit qu'elle s'était équipée en courant les brocantes. Pensivement, il hocha la tête. Si Emily avait grandi au milieu du luxe, le travail acharné ne l'effrayait pas. Joe pouvait être fier d'elle.

Emily s'arrêta avant de verser les œufs dans la poêle frémissante.

— Tu as lu ce passage sur la façon dont Patsy a essayé de piéger maman, pour la faire accuser du meurtre d'Ellis en 1967 ? demanda-t-elle.

— Quelle habileté, n'est-ce pas ? Ce n'est pas étonnant que maman n'ait jamais voulu nous parler d'elle. C'était du travail de maître.

— J'espère que vous réussirez à prouver qu'elle est derrière la tentative d'assassinat de papa, de moi-même et peut-être de maman, et qu'elle sera condamnée une bonne fois pour toutes.

Wyatt retira du feu la bouilloire qui sifflait et prépara le café instantané.

— On y travaille, ma petite. Jour et nuit.

— Je sais, et je vous suis aussi reconnaissante que possible, crois-moi.

Elle prit la tasse que Wyatt lui tendait et souffla sur la boisson brûlante.

— Passons à une conversation plus agréable… Annie et toi, où en êtes-vous ?

Wyatt rejeta la tête en arrière et éclata de rire.

— Vous, les femmes ! Vous êtes toutes les mêmes ! Vous vous êtes passé le mot pour mettre fin à ma vie de célibataire insouciant, non ?

— Est-ce que Lucy chercherait à te marier ?

— Tu peux le dire ! Elle a téléphoné ce matin. Elle voulait savoir comment tu allais et si je m'étais décidé à épouser Annie.

Emily se mit à rire.

— Et alors ?

— Mais comment veux-tu que je le sache ?

— Tu l'aimes ?

— Aujourd'hui plus que jamais.

— Alors ? Qu'est-ce qui te retient ?

— Eh bien pour commencer, plusieurs milliers de kilomètres ; ensuite, le fantôme d'un regretté mari et père.

— Mais pour toi, cela ne devrait pas poser de problème, répondit pensivement Emily en buvant une gorgée de café.

— Emily, je ne suis pas Superman.

— Pour moi, si.

Après plusieurs tentatives infructueuses, Œil-de-Serpent réussit enfin à entrer son code personnel dans le distributeur automatique de la banque Wyoming Federal Savings.

La litanie des questions rituelles se déroula. Souhaitait-il vérifier le solde de son compte courant principal ? Le solde de son compte épargne principal ? Le solde de son compte courant à terme ? Retirer de l'argent de son compte courant principal ? Effectuer un versement ? Demander d'autres informations ? Annuler ?

Comment diable pouvait-il savoir ?

Jurant bruyamment, Œil-de-Serpent appuya avec rage sur la touche qui semblait la plus appropriée, et la machine répondit par un signal sonore qui lui transperça le cerveau. Il savait qu'il n'aurait pas dû vérifier son compte après un petit déjeuner au Bloody Mary. Mais il savait aussi que s'il était resté sobre, il serait devenu fou. Pourquoi cette Marilyn ou Muffy ou Meredith Coltons ne lui envoyait-elle pas tout simplement une valise de billets, comme cela se faisait dans les films ?

Il appuya encore sur plusieurs boutons, suivant le curseur clignotant, et la machine finit par rejeter sa carte. Il la regarda fixement, comprenant que son code personnel s'était de nouveau évanoui dans les recoins nébuleux de sa matière grise. Profondément ulcéré, il décrocha quelques rapides directs du droit au clavier et assena quelques uppercuts du gauche au minuscule écran montrant l'image d'une guichetière hilare. Il pesta contre son visage guilleret et décida que, quand il en aurait fini avec Emily, il lui réglerait son compte.

C'est alors, à sa grande surprise, qu'un reçu jaillit des entrailles de la banque : la guichetière joyeuse le remercia d'avoir utilisé le distributeur automatique de la Wyoming Federal Savings. Il marmotta quelque chose d'indistinct et tint le reçu à bout de bras. Quand il fut enfin capable de lire les chiffres qui dansaient devant ses yeux, sa mâchoire se décrocha.

La mère Coltons s'était finalement décidée ! Elle avait déposé de l'argent sur son compte. Beaucoup d'argent… Pas autant qu'il avait demandé, mais suffisamment.

Il était temps de se mettre au travail.

Après avoir fêté ça, bien sûr. Après tout, ce n'était pas tous les jours que Silas A. Pike décrochait la timbale.

La démarche mal assurée, il sautilla et prit la direction du bar du coin pour se désaltérer et élaborer une stratégie. Il avait besoin d'un plan de chasse pour le soir même. Ses doigts le démangeaient et son estomac s'agitait à cette seule pensée.

— Bye-bye, petite Emily ! ricana-t-il.

Puis il rejeta la tête en arrière et éclata de rire.

— Alors ? Maman m'a dit que Wyatt était de retour ?

Annie comprit à l'expression sévère et au ton critique de sa jeune sœur Brynn que cette nouvelle ne lui faisait pas plaisir. Annie soupira. Brynn était toujours une ardente combattante de la liberté. Elle croyait à la vérité, la justice et au mode de vie à l'américaine. Pour Brynn, tout était noir ou blanc.

— En effet. Il est arrivé en ville voilà deux jours et il en a profité pour me rendre visite.

— Je n'arrive pas à croire que tu aies seulement accepté de lui parler après ce qu'il t'a fait.

Tous les lundis matin, aussi longtemps qu'Annie s'en souvenait, elles se retrouvaient à 10 heures dans le magasin d'antiquités, autour d'un café et de quelques beignets. Ce matin, elles avaient choisi des beignets au sirop d'érable, recouverts d'un glaçage et sortis une heure plus tôt des fours de la boulangerie située de l'autre côté de la rue. Le magasin d'antiquités était vide. Il était encore un peu tôt pour que la foule de touristes envahît les rues de la ville, et les garçons étaient à l'école jusqu'à midi.

— Il ne m'a *rien* fait du tout, répliqua Annie. C'était simplement un malentendu.

Les lèvres couvertes de miettes, Brynn dévisagea sa sœur.

— Il m'a tout expliqué, poursuivit-elle. Et aujourd'hui, je sais que j'ai tiré des conclusions trop hâtives... J'étais tellement préoccupée par la maladie de papa ! Ainsi, il était moins douloureux de rester à la maison et de reprendre le magasin. La fille de la douche n'était qu'une camarade de classe avec laquelle il révisait. Rien de plus.

— Et tu crois ça ?

— Pour quelle raison me mentirait-il aujourd'hui ? Ce n'est pas comme si nous nous fréquentions encore...

Brynn agita sa tasse de café sous le nez de sa sœur.

— Hé, ho ! Réveille-toi ! Ouvre les yeux ! Il débarque *comme par hasard* à Keyhole et décide de venir te rendre visite. Il doit avoir une raison, non ?

— En réalité, il a une raison. Sa sœur vit ici.

— Tu rigoles ? Ici, à Keyhole ? Eh bien, c'est ce que j'appelle un heureux hasard !

Visiblement, Brynn n'en croyait pas un mot.

— Ce n'est pas si extraordinaire, Brynn. Son père adoptif a grandi non loin d'ici, à Nettle Creek. Wyatt est venu rendre visite à sa famille, et puisque j'habite ici moi aussi, il est passé me voir. Et j'en suis très heureuse.

Elle cassa un morceau de son gâteau et le donna à Chopper qui salivait à côté d'elle.

Le profond soupir de lassitude de Brynn amusa Annie.

— Annie, je n'ai pas envie de te voir souffrir une fois encore... Ton mariage avec Carl t'a brisé le cœur.

— Qui a parlé de mariage ? De toute façon, il a bien changé, aujourd'hui.

— Comment ?

— Je ne sais pas. Il est plus mûr.

— Ce qui est une autre façon de dire qu'il est empâté et grisonnant.

Annie éclata de rire devant l'expression de sa sœur.

— Ce n'est pas vrai !

Brynn grimaça et rit à son tour.

— D'accord, il n'est pas grisonnant ! Il est donc chauve.

— Je dirais plutôt qu'il a fière allure en bermuda et chaussettes noires. Il porte des Derbys à bout fleuri neufs reluisants.

— Aaaah ! s'écria Brynn. Cela me rappelle papa. Est-ce qu'il a aussi de longs sourcils broussailleux ?

— Tu n'as qu'à juger par toi-même. Il arrive.

Annie regarda Wyatt sortir du Mi-T-Fine Café, et instinctivement, elle sut qu'il venait de déposer Emma à son travail.

— Non, merci, répliqua Brynn, je préfère déguerpir. J'ai une maison à faire visiter. Et puis, de toute façon, si tu veux mettre ta vie en l'air, ça ne regarde que…

Elle tourna la tête et suivit le regard de ta sœur.

— … toi. Mince alors ! murmura-t-elle en voyant Wyatt s'approcher. J'avais oublié combien il était mignon. Il n'a pas changé. Il est même mieux.

— Je te l'avais bien dit, répondit Annie dans un souffle.

— Pas étonnant que tu sois complètement gaga de lui !

— Vas-tu te taire ? Je ne suis pas complètement gaga.

— Tu l'es forcément. Comment pourrais-tu ne pas l'être ? Tu es humaine… J'entends déjà les cloches de l'église.

— Ne sois pas ridicule !

— Ne le laisse pas partir.

— Hé ! Ce n'était pas toi, voilà cinq minutes à peine, qui me disais de me réveiller et d'ouvrir les yeux ?

— C'était il y a cinq minutes.

Brynn vérifia sa tenue et passa sa langue sur ses dents.

La porte d'entrée s'ouvrit et Wyatt entra.

— Wyatt ! s'exclama gaiement Brynn.

— Brynn ? C'est bien toi ?

Brynn se leva et se répandit en amabilités, tout en essayant de discipliner les cheveux rebelles qui étaient le lot commun de tous les membres de la famille Summers.

— Cela fait si longtemps que l'on ne s'est pas vus !

Elle gazouillait comme MaryPat, et lui tendit la main de la façon la plus coquette qui fût.

Annie haussa les sourcils. Où était donc passée la femme qui l'appelait à résister aux sirènes de la passion ? Elle avait compté sur sa sœur et sa mère pour lui insuffler un peu de bon sens à propos de Wyatt. Manifestement, c'était elle qui allait devoir ouvrir les yeux des autres.

Annie vit Wyatt ignorer la main tendue de Brynn et la serrer dans ses bras. La douce flanelle de sa chemise écossaise étouffa le gloussement haletant de Brynn, et celle-ci sembla absolument écrasée par sa solide carrure. Après l'avoir étreinte quelques instants, il recula d'un pas et la détailla de la tête aux pieds.

— Brynn au sourire d'acier ! La dernière fois que je t'ai vue, j'étais à la fac et j'étais venu passer les fêtes de Noël à Keyhole. Tu portais un appareil dentaire. Et maintenant, regarde-moi ce sourire ! Presque aussi beau que celui de ta grande sœur.

— Tais-toi ! s'exclama Brynn en rougissant et en lui assenant une claque sur le bras.

Annie se massa les tempes. Nom d'une pipe ! Y avait-il un seul membre de sa famille qui ne perdait pas la tête en voyant Wyatt Russell entrer dans une pièce ? Elle s'approcha de la porte.

— Brynn ? Est-ce que tu ne devais pas partir ?

— Dans un instant.

Les yeux aussi brillants que le gâteau au sirop qu'elle venait d'abandonner, Brynn ne quittait pas Wyatt des yeux.

— Alors comme ça, ton père a grandi non loin de Keyhole et tu as de la famille dans le coin ? Quelle coïncidence ! Est-ce que cela veut dire que tu vas venir plus souvent dans le Wyoming ?

— Je l'espère.

Wyatt lança un regard éloquent à Annie.

— Brynn, tu ne dois pas faire visiter une maison ?

— Oui, oui... Ça peut attendre.

— Annie m'a dit que tu travaillais dans l'immobilier, maintenant ?

Brynn enroula une mèche de cheveux roux autour de son doigt et lança un coup d'œil espiègle à sa sœur.

— Je serais heureuse de te montrer les environs, si tu décidais, pour une raison ou pour une autre, d'acheter une propriété dans le coin.

— On ne sait jamais, commenta Wyatt en pinçant sa lèvre inférieure entre le pouce et l'index.

— Vraiment ? Quelle bonne nouvelle !

Vexée, Annie s'éclaircit bruyamment la gorge.

— Brynn ?

— D'accord, d'accord. Je m'en vais. Mais cela m'a fait vraiment plaisir de te revoir !

Elle fouilla dans son sac et sortit une carte professionnelle.

— Appelle-moi, si un jour tu veux quitter ta ville polluée. Je serais enchantée de t'aider.

Un silence gêné s'installa après le départ en coup de vent de Brynn. De longues secondes s'écoulèrent avant que l'un d'eux osât parler de nouveau. Pendant ce laps de temps, le souvenir du baiser trop furtif de la nuit précédente emplit l'esprit de Wyatt. Il savait que s'il pouvait sentir la passion qui les unissait, Annie pouvait la sentir aussi. La température à l'intérieur du magasin semblait avoir soudain augmenté de plusieurs degrés. Wyatt se débarrassa de sa veste et la lança de l'autre côté du comptoir. Puis il s'appuya contre la caisse, croisa les jambes et lui adressa un sourire hésitant.

Elle lui sourit en retour et, lentement, se laissa tomber sur sa chaise.

C'est alors qu'un sentiment de désespoir envahit Wyatt. Il eut la certitude que plus jamais il ne pourrait être heureux sans cette femme. D'une façon ou d'une autre, ils devaient trouver le moyen d'être ensemble. Ils devaient finir ce qu'ils avaient commencé voilà tant d'années dans l'obscurité, à côté de la bibliothèque du campus quand, d'un seul baiser inoubliable, elle était devenue une partie de son âme.

Il devait bien admettre que venir à Keyhole et tomber de nouveau amoureux d'une femme qui vivait dans un monde radicalement opposé au sien était une pure folie. Mais folie ou pas, la machine était en route, et il se sentait incapable de l'arrêter.

Il s'aperçut alors qu'il la regardait fixement. Il s'écarta du comptoir et vint se placer derrière Annie. Puis il posa ses mains sur ses épaules et se pencha pour l'embrasser dans le cou.

— Bonjour, murmura-t-il en caressant sa gorge douce et chaude.

— Hum… Bonjour.

Annie serra les doigts autour de ses poignets et s'appuya contre sa poitrine.

— Je suis désolée pour ma sœur. Elle a tendance à être un peu trop zélée, question travail.

— Ne t'inquiète pas.

— Je ne voudrais pas que tu croies que je complote pour que tu t'installes à Keyhole.

— Je ne le pense pas.

Si seulement ce pouvait être le cas ! songea-t-il.

— Tu me connais, reprit-il tout haut. Rien ne me plaît davantage qu'une solide conscience professionnelle.

— Tant qu'elle ne consiste pas à oublier ce qui est vraiment important dans la vie…

Wyatt avait l'étrange sentiment que cette conversation s'adressait à lui, et il sourit. Annie considérait toujours sa famille comme la première de ses priorités, et elle exigeait souvent des autres qu'ils fassent de même. La façon dont elle arrivait à gérer son magasin et, simultanément, à rendre ses enfants heureux et à bien les élever témoignait de sa détermination.

— Avec toi pour exemple, chuchota-t-il dans son cou, je suis sûre qu'elle y arrivera.

Du bout des doigts, il lui fit lever le menton, avant de poser sa bouche sur la sienne pour lui donner le baiser dont il rêvait depuis la veille, quand il l'avait laissée en haut des marches, le souvenir de ses lèvres brûlant encore les siennes. Il avait deviné que s'il ne partait pas à l'instant même, le prix à payer en émotions serait d'autant plus fort. Alors, il était parti. Mais à quoi bon ? Ses émotions étaient déjà sens dessus dessous. Il n'avait pas cessé de se tourner et se retourner toute la nuit, rêvant de sa prochaine chance d'embrasser Annie.

Annie semblait percevoir ce qu'il éprouvait et elle réagit avec la même passion. Elle se tourna sur sa chaise et se leva lentement pour venir se blottir contre lui, glissant ses bras autour de son corps comme une liane de chèvrefeuille, délicate et pourtant si puissante et si parfumée... Unis, leurs corps entrelacés, ils restèrent immobiles, la respiration haletante, le cœur battant, leurs bouches avides et exigeantes.

Avant même son arrivée, Wyatt savait qu'il en serait de nouveau ainsi. Un brasier latent que la plus petite bouffée d'oxygène suffirait à enflammer et incendier de façon incontrôlée. Il remplit ses mains de ses cheveux magnifiques et l'attira plus près encore, donnant un coup de pied dans une chaise qui le gênait. Sans jamais interrompre leur baiser, il la souleva, l'assit sur une table, et elle enroula ses jambes autour de ses hanches. Puis elle noua ses chevilles autour de sa taille et ses bras autour de son cou. Une main appuyée sur la table, il glissa l'autre dans son dos, la serra contre lui, frémissant au contact de leur corps à corps, miroir de leur lien émotionnel.

Le premier client de la journée choisit ce moment précis, à la grande contrariété de Wyatt, pour entrer. Heureusement, ils étaient dissimulés par une rangée de dressoirs. Avec un gémissement de regret, il aida Annie à se mettre debout et embrassa son nez.

— Plus tard, promit-il.

Elle fit lentement glisser ses mains sur sa poitrine. Avec un profond soupir, elle alla débarrasser les reliefs du petit déjeuner qu'elle avait pris avec Brynn.

N'ayant rien de mieux à faire maintenant qu'Emily était en sécurité, Wyatt se mit au travail.

— Bonjour !

Il adressa un petit signe accueillant de la main aux deux clientes, une femme d'âge mûr et une autre plus âgée que la première appelait « maman ».

— Bonjour.

Les deux femmes lui sourirent.

Il s'avança vers elle.

— Est-ce que je peux faire quelque chose pour vous ?

— Oui. Avez-vous des vases madrilènes ? Nous avons une amie d'origine espagnole qui collectionne les vases madrilènes, et c'est son anniversaire samedi.

Wyatt hocha la tête, fouillant mentalement la multitude d'étagères qu'il avait époussetées sous la direction d'Annie.

— Suivez-moi. Je sais que nous avons quelques vases par ici, mais si vous voulez mon avis, ils sont tous assez laids.

Wyatt ignora la mine offusquée d'Annie.

— Nous avons une garniture de toilette avec sa cuvette et son broc. Vous pouvez toujours mettre des fleurs dedans et faire comme s'il s'agissait d'un vase.

Tout en parlant, il monta sur une chaise et s'empara d'une cruche ornée d'une délicate guirlande de roses peintes à la main.

— Wyatt !

Le visage d'Annie était décomposé.

— Ne t'inquiète pas, Annie.

Puis, se tournant vers les deux clientes, il ajouta :

— Elle n'aime pas que je grimpe sur les meubles. Vous attrapez ?

Doucement, il laissa tomber le broc dans les bras tendus de la femme.

Annie couvrit son visage avec ses mains et émit un cri désespéré.

— Regarde, maman, ce serait parfait pour l'entrée de Carmen !

— Mais Carmen collectionne des vases madrilènes !

— *Vaisselle madrilène, vilaine porcelaine* ! décréta Wyatt comme un dicton.

Il fit un geste impatient d'une main tout en agitant le broc de l'autre.

— Vous ne voulez pas lui offrir un vase affreux, n'est-ce pas ?

Le soupir d'Annie siffla à travers ses lèvres comme un ballon qui se dégonfle.

La mère haussa les épaules.

— Bien sûr que non…

— Il a raison, maman. J'ai toujours trouvé ces vases horribles.

Puis, avec un sourire à l'adresse de Wyatt, la jeune femme déclara :

— Nous prenons la garniture.

Annie releva la tête, les yeux écarquillés.

— Parfait ! Mais attendez ! J'ai autre chose à vous proposer. La table de toilette qui l'accompagne est en promotion.

Wyatt se souvenait de tout ce que Annie lui avait raconté au sujet des objets, tandis qu'il les déplaçait ici et là, la nuit précédente. Il sauta en bas de la chaise, mit la cuvette entre les mains de « Maman », passa par-dessus une causeuse et saisit la table de toilette qu'il plaça au milieu de l'allée.

— Elle a été fabriquée par un pionnier de la région, je crois. A moins que ce ne soit le drôle de petit tabouret, là-bas ?

Une fois encore, Annie se prit la tête dans les mains.

— Admirez les assemblages en queue d'aronde des tiroirs. C'est réalisé avec des goujons et des clous en fil carré. Cela ne se fait plus, de nos jours. Si vous voulez mon avis, à ce prix-là, c'est vraiment donné !

— C'est parfait, nous la prenons, annonça la fille. Et le drôle de petit tabouret aussi. Cela fait si longtemps que nous cherchons un tabouret comme celui-ci pour mon orgue à soufflerie.

Le temps qu'elles règlent leurs achats, décident du jour de la livraison et s'en aillent, d'autres clients étaient entrés.

— Soyez les bienvenus, lança Wyatt à un jeune couple avant qu'Annie ait eu le temps de faire le tour du comptoir pour débiter le discours qu'elle tenait tout prêt.

— Que cherchez-vous aujourd'hui ?

— Nous cherchons un panneau de verre bullé de style ancien pour remplacer une vitre cassée.

— Voyons, voyons... Du verre bullé, du verre bullé... Je n'en ai jamais entendu parler.

— Je ne sais pas si c'est le nom exact, mais cela ressemble à du verre avec de petites bulles à l'intérieur.

— Etes-vous sûr de vouloir la même chose ? Je veux dire... Maintenant que c'est cassé, bon débarras !

Une fois encore, il ignora les froncements de sourcils indignés et ahuris d'Annie. Il sourit. Parfois, elle ressemblait tellement à MaryPat !

— Suivez-moi, je vais vous montrer des vitraux vraiment anciens. Vous allez en rester cois !

Lorsqu'il eut vendu un vitrail, Wyatt aborda une autre cliente qu'Annie était à présent trop occupée pour servir.

— Bonjour ! Que désirez-vous ? Nous l'avons !

— En vérité, je ne sais pas vraiment ce que je veux, avoua la femme, un peu perplexe. J'ai besoin d'un petit quelque chose pour agrémenter un angle de ma salle à manger. J'avais pensé à un porte-chapeaux ou quelque chose comme ça... Je ne suis pas sûre.

— Un porte-chapeaux ? Trop ordinaire !

— Ordinaire ?

Annie fulmina.

— Faites-moi confiance. Vous ne voulez pas d'un porte-chapeaux. Venez par ici. Il faut que vous voyiez ce superbe phonographe Victrola. Il est proposé avec un assortiment de vieux disques.

Une fois le Victrola vendu, il vendit encore deux tableaux d'Annie, un crapaud, une paire de tables d'école très anciennes en chêne et fer forgé et une lampe tempête. Tout cela avant midi.

Annie soupira, les yeux exorbités, quand elle fit le total des ventes de la matinée.

— Eh bien ! La matinée a été fructueuse, murmura-t-elle. Deux fois plus que d'habitude.

— Parfait ! Est-ce que je suis engagé ?

Elle le regarda.

— Pourquoi ? Tu postules ?

— On ne sait jamais.

Un sourire creusa deux fossettes dans ses joues tandis qu'elle levait les yeux au ciel.

— Je ne partage pas toutes tes tactiques de vente, mais je dois dire que tu es efficace.

— Mince alors, patronne !

— Tu n'as jamais pensé à quitter ton cabinet et devenir vendeur ?

— Parfois.

— Vraiment ?

— Vraiment !

Leurs regards se croisèrent et se retinrent un long et intense moment. A cet instant, Wyatt aurait donné n'importe quoi pour savoir ce qu'elle pensait.

— Je ne parle pas seulement d'antiquités, ajouta Annie précipitamment. Je veux dire toutes sortes de choses… Tu réussirais à vendre tout ce que tu voudrais.

— Je comprends ce que tu essaies de dire. Et je te remercie.

De nouveau, ils restèrent debout face à face, le sourire aux lèvres.

Dehors, l'alarme des pompiers annonça qu'il était midi.

— Il faut que j'aille chercher les garçons. Tu m'accompagnes ?

— Avec plaisir. Tu peux accrocher la pancarte « Partis pêcher », à la porte. Je vous emmène, les garçons et toi, en pique-nique.

— Wyatt, je ne peux pas partir et fermer le magasin !

— Pourquoi pas ? Tu as gagné ce matin le double de ce que tu gagnes habituellement. Tu viens de le dire, non ?

— Oui, mais…

— Il n'y a pas de mais. Je reviendrai travailler avec toi cet après-midi, et je ferai encore un malheur !

8.

— Plus haut, cria Noah d'une voix perçante.

La tête renversée, la bouche grande ouverte et le corps secoué de rire, le petit garçon s'accrocha de toutes ses forces à la balançoire tandis que Wyatt la tirait en arrière, très haut au-dessus de sa tête, prêt à la lâcher dans les airs.

— Je ne peux pas aller plus haut ! protesta Wyatt. Il me faudrait une échelle.

— Alors, va chercher une échelle, répondit l'enfant en se penchant en arrière et en riant à gorge déployée.

— Tu es prêt ?

— Oui ! hurla-t-il.

Wyatt lâcha la balançoire et Noah s'envola vers le ciel. Surexcité, Chopper aboya et agita la queue en tous sens.

— Ouaaaah !

Noah riait si fort qu'Annie eut peur qu'il ne tombe. Pourtant, elle pouvait difficilement intervenir. Au cours des quatre heures qui venaient de s'écouler, ses garçons n'avaient fait que rire, glousser et crier, avec la joie d'enfants qui découvraient un Disneyland personnifié. Wyatt avait chahuté avec eux, il les avait poussés, tirés, poursuivis, il avait galopé autour de ce magnifique petit parc arboré de Keyhole et leur avait accordé toute son attention.

Et elle ne les avait jamais vus plus heureux. Même Chopper n'avait jamais semblé si joyeux.

— A moi ! A moi !

Alex jeta ses bras autour de la taille de Wyatt et s'accrocha à lui.

— Je veux faire de la balançoire, Wyatt. S'il te plaît.

— Juste une minute, astronaute. Tu viens d'avoir ton tour. Maintenant, c'est à ton frère.

— Mais ça fait des années qu'il y est ! se plaignit Alex.

— Les astronautes ne pleurnichent pas, mon pote.

Alex fit signe à sa mère.

— Maman, viens me pousser. On va aller plus haut qu'eux.

Annie secoua la tête.

— Alex, tu as eu ton tour. Dès que Noah aura fini, je veux que vous laissiez Wyatt se reposer un peu. Vous n'avez qu'à vous pousser l'un l'autre. Wyatt est fatigué.

— Non, il n'est pas fatigué, maman. Il veut jouer avec nous, affirma Alex.

Il se tourna vers Wyatt.

— Hein, c'est vrai, Wyatt ?

— Oui, j'adore jouer avec vous, les enfants, mais nous devons obéir à votre mère.

— Toi, t'es pas obligé de lui obéir. T'es un grand.

Wyatt fit un clin d'œil à l'enfant puis il se tourna vers Annie et lui sourit.

— Alex, mon vieux, un jour ou l'autre tu apprendras que nous, les garçons, nous devons toujours obéir aux filles. C'est comme ça.

— Beurk !

Au milieu des protestations, Wyatt parvint à se débarrasser des garçons et du chien. Il alla s'asseoir à la table du pique-nique, où Annie l'attendait avec un verre de lait glacé et une boîte de cookies faits maison.

— Fatigué ?

Elle tendit la main et lui serra affectueusement le bras. Wyatt semblait avoir trouvé à qui parler, avec les garçons.

Il s'effondra sur le banc et s'essuya le front avec une serviette.

— A plat ! Ces gosses m'ont rétamé !

— Je veux bien le croire. J'aimerais avoir la moitié de leur énergie. Je pourrais en abattre, du travail !

— Tu le fais déjà, crois-moi.

Ils se sourirent, comme des parents se sourient après une agréable journée passée avec leurs enfants.

Elle vint s'asseoir à côté de lui tandis qu'il piochait dans le gâteau, et elle se sentit enveloppée d'une sensation de sérénité qu'elle n'avait plus ressentie depuis que, étendue dans le Memorial Union Quad en compagnie de Wyatt, elle faisant semblant d'étudier son cours de biologie alors qu'elle rêvait de leur avenir commun.

Un avenir rempli d'amour et des rires de leurs enfants. Un avenir semblable à cette journée. A un détail près : dans son imagination, Wyatt ne partait pas.

L'heure du déjeuner était passée depuis bien longtemps, et Annie avait ignoré la voix intérieure qui l'exhortait à retourner travailler. Wyatt avait raison. Le magasin serait toujours là quand elle reviendrait.

Contrairement à lui, soit dit en passant…

Pas après cette semaine en tout cas. Et quand bien même il reviendrait après le mariage, ce dont elle doutait fortement, il finirait par quitter Keyhole un jour. Il retournerait jouer les redresseurs de torts dans la capitale. Elle n'avait plus que la fin de la semaine à passer en sa compagnie.

Cette pensée la rendit mélancolique et elle porta son regard au loin, au-delà des arbres. Derrière les sommets déchiquetés, couronnés de neige, qui entouraient Keyhole, le ciel sans nuage était d'un bleu profond. A l'ouest, le soleil était haut. Mais il n'allait pas tarder à descendre à l'horizon. A l'ombre, la température commençait déjà à baisser.

Annie regarda sa montre. La nuit serait tombée d'ici à quelques heures. Le temps de ramener les garçons à la maison, de les faire dîner, de leur donner leur bain et de les aider à remettre un peu d'ordre dans leur chambre, il serait l'heure de les coucher.

Wyatt avait promis de leur lire une histoire après s'être assuré que sa sœur était bien rentrée chez elle.

Annie appuya son menton dans ses mains et regarda Wyatt manger. La préoccupation de Wyatt à propos de la sécurité d'Emma ne lui avait pas échappé. C'était étrange. Surtout ici, à Keyhole, où la criminalité était voisine de zéro. Elle eut l'intuition qu'il se passait quelque chose. Dès qu'ils pourraient passer un peu de temps seul à seul, elle le questionnerait à ce sujet.

Les petites rides aux coins des yeux de Wyatt se plissèrent, comme s'il devinait qu'elle l'observait. Il tourna la tête et lui adressa un sourire qui la fit frissonner tout entière.

Les années avaient été clémentes avec Wyatt. Il avait bien plus fière allure, aujourd'hui, dans la trentaine, qu'à vingt ans. S'il avait été un jeune homme très attirant, il était désormais un homme parfaitement irrésistible. Tout en lui respirait le pouvoir. La réussite. La confiance en soi. La séduction.

Annie ravala son souffle.

— Un penny pour connaître tes pensées, murmura-t-il, de cette voix suave qu'elle avait entendue une nuit sous les arbres, à côté de la bibliothèque du campus, voilà bien longtemps.

— Moi ? Mes pensées ?

— Oui, je suis sûr qu'elles sont bien plus intéressantes et bien moins épuisantes que les leurs, dit-il en désignant les garçons qui jouaient au cochon pendu dans la cage à poules.

— Je n'ai rien à dire ! répondit Annie en riant.

Il leva un sourcil et l'étudia sous ses paupières à demi fermées.

— Intéressant… Alors tu espères que je vais me mettre à genoux ?

— Je croyais qu'après le déménagement de l'autre nuit, tu serais déjà sur les genoux !

— Je ne parle pas de ça.

— Je sais de quoi tu parles.

— De quoi est-ce que je parle ?

— Tu sais bien.

Un sourire se dessina lentement sur le visage de Wyatt.

— Non, je ne sais pas.

— Si, tu le sais.

— Non, je ne sais pas.

— Si, tu le sais.

— Embrasse-moi…

Il poussa son assiette et se tourna pour lui faire face.

— Tu vois, tu sais.

— Est-ce que tu vas m'embrasser ?

— Ici, devant les garçons ?

— Je ne crois pas que cela les traumatisera beaucoup.

— Et si quelqu'un nous voyait ?

— Et alors ?

— Eh bien, je...

— Tais-toi et embrasse-moi.

Annie s'avança sur le banc et glissa ses bras sur la poitrine de Wyatt, puis autour de son cou. Dans un soupir, elle posa sa bouche sur la sienne et remplit ses doigts des cheveux qui frisaient dans son cou. Les battements de son cœur s'accélèrent et son corps se mit à frémir. A vivre. A chanter.

Quand elle était ainsi avec lui, elle avait l'impression que le reste du monde disparaissait, les laissant tous deux complètement seuls, chacun noyé dans l'essence de l'autre.

Peut-être pas si seuls, après tout...

— Hééé ! Baaah ! Regarde, Alex, ils s'embrassent.

— Beurk !

Avec force bruits de dégoût, les garçons se précipitèrent vers eux et s'accrochèrent à leurs vêtements. Wyatt les ignora et refusa de relâcher Annie.

— Pouah ! cria Alex.

— Dégoûtant ! hurla Noah.

Annie sentit le sourire de Wyatt contre sa bouche.

Il l'abandonna une fraction de seconde, le temps de menacer les garçons.

— Si vous ne filez pas immédiatement, je vous embrasse après votre mère.

Cela suffit pour les faire sursauter. Ils s'enfuirent aussitôt en criant et hurlant de rire.

*
* *

— 'scusez-moi, mais vous fichez quoi, là ?

Œil-de-Serpent sursauta.

— Euh… Salut !

Après avoir tiré une longue bouffée sur sa cigarette pour reprendre son sang-froid, il descendit tant bien que mal de l'échelle sur laquelle il était grimpé pour regarder l'intérieur de la maison d'Emily.

Dans un semblant de sourire, il montra les dents à la femme en peignoir et chaussons qui se tenait sur le perron de la maison voisine. Des bigoudis roses en éponge hérissaient son crâne, et son froncement de sourcils était féroce. Tel maître, tel chien : l'animal qu'elle tenait dans ses bras fronçait aussi les yeux.

Fifi. Cette dernière se débattit et grogna, comme si elle se souvenait de leur mêlée dans les buissons quelques nuits auparavant.

— Les propriétaires sont là ? hasarda Œil-de-Serpent.

— C'est à quel sujet ? cria la femme sur un ton qui rappela à Œil-de-Serpent sa mère.

Fifi aboya et retroussa les babines.

Le pouls de Silas Pike s'accéléra, et il commença à suer à grosses gouttes. C'était comme s'il avait eu cinq ans et venait de se faire prendre la main dans le sac.

— Je… je… je viens nettoyer les gouttières.

Il sortit de sa poche un relevé de carte de crédit, souvenir de la débauche de la veille au café de la rue principale, et l'agita en l'air.

— J'ai un ordre de travaux. Il paraît qu'y a une gouttière qui fuit.

La femme s'esclaffa et secoua la tête.

— Tu parles d'une blague !

Œil-de-Serpent se figea. Il pensa prendre ses jambes à son cou mais, dans son état, il serait à bout de souffle avant même d'avoir atteint le bord du trottoir. Ensuite, il songea à la faire taire avec un bon coup de poing, mais le chien lui causait quelques appréhensions.

A sa grande surprise, la femme tourna le dos et, sur un geste dédaigneux de la main, rentra chez elle.

— Faites votre travail et réparez cette gouttière. Ensuite, vous pourrez dire à ce fainéant de Simmons de magner son train et de venir réparer ce fichu toit ! J'ai jamais entendu quelque chose d'aussi idiot de toute ma pauvre vie. Réparer les gouttières alors que le toit fuit comme vache qui pisse !

Fifi grogna encore et montra les crocs, tandis que sa maîtresse claquait la porte derrière elle.

Silas Pike poussa un soupir de soulagement et fourra le reçu dans sa poche. Il s'en était fallu d'un cheveu !

Il ne lui restait plus maintenant qu'à entrer dans la maison et se cacher. Il regarda sa montre.

17 h 30. Il était en avance. Elle ne rentrerait pas avant 19 heures, ce qui lui laissait amplement le temps de tout préparer. Les buissons devant la porte le dissimuleraient pendant qu'il crochèterait la serrure. Ensuite, il entrerait et se ferait un sandwich. Il n'aimait pas accomplir sa tâche le ventre vide.

Wyatt aida Annie à faire descendre les enfants de voiture, puis à décharger ce qu'ils avaient emporté en pique-nique, ainsi que les courses faites en revenant du parc. Après plusieurs allers et retours entre la voiture et la maison, ils finirent par en venir à bout. Lorsque Annie alluma la lumière dans la cuisine, les ténèbres s'évanouirent, et une atmosphère chaleureuse enveloppa Wyatt d'un sentiment de plénitude. Un sentiment d'appartenance. C'était étrange. Il était à Keyhole depuis moins d'une semaine, et il se sentait davantage chez lui dans le Wyoming qu'à Washington, malgré toutes les années qu'il y avait passées.

— Maman, j'ai soif.

— Moi aussi, maman.

— J'ai les mains pleines. Demandez à Wyatt.

— Wyatt, j'ai soif.

— Moi aussi, Wyatt.

Tandis que les garçons gambadaient pieds nus, le chien sur leurs talons, Annie observa Wyatt à la dérobée, et ce fut presque comme si elle avait tendu la main et l'avait touché, tant il avait conscience d'elle depuis quelques jours. Il sut que ce sentiment était réciproque lorsque leurs regards se croisèrent et se retinrent par-dessus la tête des garçons.

— Il y a de l'eau fraîche dans le réfrigérateur, lui dit-elle avec un signe de la tête.

Les jumeaux lui montrèrent où se trouvaient leurs gobelets et, gauchement, il les servit. Ensuite, il remplit d'eau le bol de Chopper.

— Merci, murmura Annie.

Elle passa près de lui, saisit son regard, lui adressa un sourire qui en disait long et l'enflamma de désir.

— Tu restes à dîner ? Je fais des spaghettis et des boulettes de viande.

— Des spaghettis ? Beurk ! grimaça Alex en portant sa main à sa gorge.

Exaspérée, Annie posa son regard sur son fils.

— Qu'est-ce que tu racontes ? Tu adores les spaghettis !

— Je les déteste !

Wyatt tapota la tête de l'enfant comme s'il driblait avec un ballon de basket.

— Tant mieux ! Comme ça, il y en aura plus pour moi. Et plus je mangerai de spaghettis, plus je pourrai te poursuivre et t'attraper.

— Nan, nan !

Alex éclata de rire et lança ses bras et ses jambes autour des jambes de Wyatt, s'y accrochant de toutes ses forces.

— C'est moi qui mangerai *tous* les spaghettis !

— Alex, laisse Wyatt tranquille.

Se tournant vers ce dernier, elle demanda :

— Je suppose que cela veut dire que tu restes dîner ?

— Avec plaisir. Laisse-moi juste une heure ou deux, le temps de passer à l'hôtel prendre une douche. Je voudrais aussi voir si j'ai reçu des messages et m'assurer qu'Em...ma est bien rentrée chez elle.

Annie fronça pensivement les sourcils.

Wyatt réussit à faire lâcher prise à Alex qui n'en finissait pas de rire et rangea le lait et les œufs dans le réfrigérateur. Ce faisant, il savait qu'Annie se demandait pourquoi il se préoccupait autant de la sécurité d'Emma. La curiosité qu'il lisait dans ses yeux lui disait qu'elle brûlait de dizaines de questions non posées. Des questions auxquelles il ne pouvait répondre. Pas encore. Ce n'était pourtant pas l'envie qui lui manquait de révéler la vérité. Il savait qu'il pouvait lui faire entièrement confiance, mais à cet instant, il sentait aussi qu'il était plus prudent de la laisser à l'écart.

— C'est d'accord !

Les bras chargés de courses, Annie haussa légèrement les épaules et regarda l'horloge.

— Ça me laissera le temps de préparer le dîner et de faire cuire une tourte. Tu peux être là vers 19 h 30 ?

— Je veux m'asseoir à côté de Wyatt ! cria Noah.

— Moi aussi ! s'exclama Alex devant son frère.

— Je serai de retour à 19 h 30 précises.

Il ferma la porte du réfrigérateur et vint se placer derrière Annie, glissa ses bras autour de sa taille et posa le menton sur son épaule.

— Est-ce que tu vas encore embrasser ma maman ? questionna Alex.

— Pouah ! s'écria Noah en faisant mine de s'étrangler.

Wyatt vit les joues d'Annie s'empourprer et il ne put dissimuler son amusement.

— Vous croyez que je devrais, les gosses ?

Pouffant de rire, Alex et Noah se parlèrent à l'oreille, se poussèrent du coude et regardèrent les adultes à la dérobée.

— Eh bien ? demanda Wyatt.

— Oui ! crièrent les jumeaux ivres d'hilarité. Elle *adore* ça !

— C'est vrai ? chuchota Wyatt au creux de son oreille.

Annie soupira et, s'appuyant contre lui, elle se détendit dans ses bras.

— Gagné !

Ainsi encouragé, et au milieu des rires, Wyatt lui donna le baiser qu'ils attendaient tous.

Œil-de-Serpent engloutit jusqu'à la dernière miette le gâteau au citron préparé par Emily. Rien de meilleur que les bons petits plats faits maison. Sa mère n'était pas vraiment douée, côté cuisine. D'ailleurs, elle n'était pas bonne à grand-chose, une fois sortie de son lit. Elle y passait, vautrée, le plus clair de son temps et hurlait pour qu'il lui apporte une bouteille, des cigarettes ou un briquet. A ce sujet… Œil-de-Serpent fouilla ses poches à la recherche de ses cigarettes. Son dîner terminé, il était temps d'en griller une et de boire un dernier petit coup.

La petite demoiselle n'avait rien de mieux, dans son réfrigérateur, que du soda sans sucre, et la flasque de Silas Pike était presque vide. Hagard, il se demanda s'il avait le temps de faire un aller-retour jusqu'à l'épicerie du bout de la rue avant qu'elle ne revînt. Il envoya valser le moule à gâteau et, à tâtons dans l'obscurité, il se traîna jusqu'à la cuisinière, agrippa le plan de travail et se redressa. Oscillant comme un peuplier dans la brise automnale, il cligna des yeux devant les chiffres lumineux de l'horloge et les maudit de se balancer en tous sens.

17 h 59.

Parfait. Il compta sur ses doigts. Elle rentrait vers 19 heures. Ça lui laissait donc une heure. Il était temps qu'il arrose sa soirée. Il lâcha le comptoir et marcha jusqu'à la porte d'entrée en titubant. A l'instant où il tendait la main pour saisir la poignée, il entendit le bruit d'une clé se glissant dans la serrure, et il recula de surprise.

Elle avait donc une heure d'avance ?

Les aboiements déchaînés de Fifi éclatèrent, et Emily s'arrêta pour regarder, par-dessus son épaule, le petit animal excité.

— Salut, Fifi !

Emily savait que la petite bête était nerveuse de nature. Cependant, au cours des derniers jours, elle avait été plus agitée que jamais.

— Qu'est-ce qui ne va pas ?

Fifi tirait sur sa laisse, bondissait, aboyait, s'agitait et tournait sur elle-même à tel point qu'Emily crut qu'elle allait s'étrangler.

— Fifi, la ferme !

Précédée par sa grosse voix, la maîtresse de Fifi apparut sur le perron, toujours vêtue de son peignoir et de ses chaussons.

— Bonjour, madame Flory, lança Emily.
— Oh, c'est vous…
— Je crois que j'ai fait peur à Fifi.
— Nan, elle a été comme ça toute la journée. Depuis que ce bon à rien est passé réparer les gouttières chez vous.
— Chez moi ?
— Simmons ne vous a pas prévenue ?
— Non.
Emily sentit des frissons la parcourir.
Mme Flory se racla la gorge.
— Va comprendre ! Bref, j'ai trouvé cet idiot perché sur une échelle, qui regardait chez vous. Il a dit qu'il venait réparer les gouttières, mais c'est de la blague, à mon avis. La pluie n'a même pas le temps de couler le long du toit pour arriver dans ces fichues gouttières. Y'a bien trop de trous dans ce satané toit ! Je comprends pas pourquoi il commence par réparer les gouttières…

Tandis que sa voisine jacassait, Emily s'efforça de respirer profondément et calmement. Tout va bien, se dit-elle. Ce n'est qu'un homme à tout faire qui est venu réparer des gouttières. Dieu sait que le toit de cette vieille baraque avait besoin d'être rénové ! Inutile de s'alarmer pour rien. Quand la grincheuse Mme Flory n'eut plus de souffle, Emily lui souhaita une bonne soirée et se glissa chez elle.

A peine entrée, elle alluma la lumière. L'ampoule du vestibule jeta des ombres longues et sinistres sur les murs et le plafond. Anxieuse, elle pivota sur elle-même, referma la porte, tourna le verrou, enclencha la chaîne de sécurité et fit jouer le verrou de la poignée. Personne ne pourrait entrer par là.

Un rire nerveux effleura ses lèvres et résonna contre les murs du logement chichement meublé. Elle se comportait comme une froussarde. Même les ombres du soir prenaient un air menaçant. Quelle nigaude elle faisait !

Elle retira sa veste et essaya de se débarrasser de l'impression d'être observée, qui l'obsédait depuis quelques jours. C'est nerveux, se réprimanda-t-elle intérieurement. Comment s'étonner ? Après ce qu'elle avait traversé, il était normal qu'elle eût un peu les nerfs à vif.

Et pourtant…

Savoir que quelqu'un avait regardé par la fenêtre la tracassait.

Il faisait frais dans la maison. Plutôt que de ranger sa veste dans le placard, elle s'en couvrit les épaules. Le chauffage coûtait une fortune et, étant donné ses petits revenus, c'était un luxe qu'elle ne pouvait guère se permettre. Passant ses mains sur ses bras glacés, Emily alla jusqu'à la fenêtre qui ouvrait sur le porche et regarda au-dehors. Des nuages filaient devant la pleine lune. Agitées par une brise légère, les branches de l'immense chêne planté dans le jardin heurtaient le mur de la maison avec des bruits sinistres.

La tête penchée, Emily s'immobilisa et écouta.

Elle entendait un autre bruit. Mais quoi ? Elle tendit l'oreille. En vain. Des fourmillements remontèrent le long de sa colonne vertébrale et sa respiration devint imperceptible.

Quelque chose n'allait pas.

Elle le sentait au plus profond d'elle-même.

Elle éprouvait exactement le même sentiment prémonitoire que dans sa chambre, à Prosperino. Saisie de panique, elle traversa aussi vite que possible son minuscule salon, puis sa cuisine, pour s'assurer qu'il n'y avait personne. Elle se sentirait bien mieux une fois qu'elle se serait assurée qu'elle était seule. Qu'elle se faisait des idées… Qu'elle n'avait rien à craindre et qu'elle était en sécurité ici, dans sa petite maison, à des kilomètres de Patsy et de ses sbires…

La petite ampoule de l'entrée jetait juste assez de lumière pour éclairer la cuisine. Et le sol de la cuisine. Et le moule à gâteau par terre.

Elle regarda fixement ce moule à gâteau vide comme s'il risquait à tout instant de se jeter sur elle.

Que faisait-il par terre ?

Et pourquoi était-il vide ?

Pendant sa pause, cet après-midi-là, elle avait préparé un gâteau au citron pour Toby, afin de le remercier de veiller sur elle. Elle l'avait ensuite mis au réfrigérateur pour qu'il refroidisse. Elle en était certaine.

Elle entendit un cliquetis et s'aperçut qu'elle claquait des dents. La terreur s'empara d'elle et elle s'immobilisa. Quelqu'un était entré chez elle. Quelqu'un avait mangé son gâteau. Quelqu'un avait probablement fouillé dans ses affaires.

Le téléphone... Elle devait atteindre son téléphone et appeler Toby. Oui. C'était ce qu'elle *devait* faire. A condition de pouvoir bouger.

Pétrifiée, Emily se força à faire les quelques pas qui la séparaient du téléphone. Reculant dans la pénombre de son salon, elle souleva le combiné et, les doigts tremblants, composa le numéro du portable de Toby. Il décrocha à la première sonnerie.

— Toby Atkins à l'appareil.

— Toby !

La main devant la bouche, Emily parla d'une voix étouffée et frénétique.

— Oui ? Emma ?

L'inquiétude qu'il manifesta aussitôt la réconforta légèrement et lui donna la confiance dont elle avait besoin pour rester debout.

— Toby, quelqu'un est entré chez moi.

Le souffle court, sa voix se fit haut perchée et grêle.

— Ils ont mangé mon gâteau au citron. Le moule... le moule était par terre ! Au milieu de la cuisine ! Toby, j'avais préparé ce gâteau pour vous, il n'y en a plus.

— Calmez-vous ! J'ai du mal à vous comprendre. Quelqu'un est entré chez vous ?

— Oui !

— Est-ce qu'il est encore là ?

Emily se figea. Etait-il encore là ? Il n'y avait pas tant d'endroits où se cacher, mis à part la salle de bains et le petit placard près de la porte d'entrée. De l'endroit où elle était, elle observa la salle de bains et ne remarqua rien. Mais cela ne voulait pas dire pour autant qu'elle était seule.

— Je ne sais pas... Toby ! Il faut que vous veniez ! Maintenant ! Tout de suite !

— J'arrive. Je serai là dans une minute.

— Dépêchez-vous ! Je vous en prie, dépêchez-vous !

Elle claquait à présent si violemment des dents que son cou commença à lui faire mal. Son pouls filait à toute vitesse. Elle chercha à tâtons le dossier d'une des chaises de jardin qui composaient son ameublement et elle s'y accrocha pour ne pas tomber.

— Ma… ma voisine m'a dit qu'un homme était venu, pour réparer mes gouttières, et qu'il avait regardé chez moi par la fenêtre. A présent, mon gâteau au citron a disparu. Pourquoi quelqu'un volerait-il mon gâteau au citron ?

Un bruit assourdi provint du placard de l'entrée et Emily réprima un hurlement.

— Toby…, gémit-elle.

— Oui ?

— Je… je crois qu'il est là. Dans la maison. Avec moi.

— Est-ce que vous pouvez sortir ?

— Il est dans le placard de l'entrée. A côté de la porte. Il n'y a pas de porte de derrière.

— Quel fichu appartement n'a pas de porte de derrière ?

— Un appartement pas cher. Je… je pourrais peut-être sauter par la fenêtre. Si j'arrive à en ouvrir une.

Elle entendait le hurlement des sirènes dans l'écouteur du téléphone.

— Emma ? Ne raccrochez pas. J'arrive dans une minute. Est-ce que vous avez de quoi vous défendre ?

Elle entendit un bruit près de la porte d'entrée. Elle retint sa respiration. Est-ce qu'il sortait de sa cachette ?

— Emma ?

Emily se cramponna au téléphone. Elle était incapable de parler. Elle regarda fixement la porte du placard et s'aperçut qu'elle s'ouvrait lentement.

— Vous êtes toujours là ?

Elle était incapable de répondre. L'ampoule de l'entrée commença à se balancer et la pièce se mit à tourner. Ses jambes se dérobèrent sous elle et elle n'était pas sûre de toucher le sol. Des gouttes de sueur perlèrent au-dessus de ses lèvres. En même temps, elle fut parcourue de frissons. Elle ne parvenait même plus à bouger les mâchoires, à former les mots pour dire à Toby qu'un homme était en train de sortir du placard de l'entrée.

Le même homme auquel elle avait échappé en fuyant Prosperino, sept mois plus tôt.

Le téléphone coincé entre son épaule et son oreille, Wyatt s'assit sur le bord de son lit, dans sa chambre d'hôtel, et écouta de nouveau le signal indiquant que la ligne était occupée. Il mit sa montre et vérifia l'heure une fois encore. Cela faisait près de vingt minutes qu'Emily était suspendue au téléphone. Au moins, il avait la satisfaction de savoir qu'elle était rentrée chez elle. Il voulait cependant lui parler, et savait qu'il ne pourrait le faire chez Annie sans éveiller la curiosité de cette dernière.

Les pieds sur le lit, il s'adossa à ses oreillers et reposa le combiné. Il essaierait de nouveau dans une minute. Il gonfla les joues et poussa un profond soupir. Il n'aimait pas avoir de secret pour Annie. Cela n'avait jamais été son style.

A l'Université, il avait été heureux de trouver en elle une personne en qui il avait entièrement confiance. Annie ne se moquait jamais de ses rêves ni de ses craintes. Elle se montrait toujours compréhensive et d'un grand secours. Jusqu'au jour où il avait tout gâché en n'étant pas présent quand elle avait eu le plus besoin de lui.

Il avait retenu la leçon. Et quelle leçon !

Du fait de cette défaillance, aujourd'hui plus que jamais, il voulait être certain qu'il n'y aurait plus aucun problème de communication entre eux. Ils avaient perdu bien trop d'années, et avaient bien trop souffert du fait de suppositions erronées.

De nouveau, il regarda sa montre. Si Emily ne répondait pas rapidement, il serait en retard pour le dîner. Annie l'attendait, ainsi que ses garçons. Il ne pouvait les décevoir. Décrochant le téléphone, il décida d'appeler Emily une dernière fois. Si elle ne répondait pas, il n'aurait plus qu'à supposer qu'elle était en train de bavarder avec une amie, ou peut-être avec ce Toby, et qu'elle avait oublié de l'appeler. Il composa son numéro et attendit.

Occupé.

Wyatt raccrocha. Il appellerait donc Emily à son retour. Il attrapa ses clés, enfila sa veste et prit les livres d'images qu'il avait achetés pour les jumeaux.

A l'instant où il s'apprêtait à sortir, le téléphone sonna. Cette fois, ce devait être Emily. Il se précipita sur l'appareil, décrocha et lança :

— Hé, bavarde ! Qu'est-ce que tu fabriques ? Tu m'as oublié ?

— Wyatt ?

Il fronça les sourcils. Ce n'était pas Emily. Instinctivement, il comprit que c'était sérieux.

— C'est moi, dit-il précipitamment.

— Toby Atkins à l'appareil.

Wyatt se raidit.

— Que se passe-t-il ?

— Emma a été attaquée. Elle a besoin de vous. Chez elle. Tout de suite.

Annie regarda avec consternation la sauce des spaghettis figée, les pâtes collantes, les bougies presque fondues et les gouttes de paraffine qui avaient coulé sur sa plus belle nappe. Wyatt avait maintenant deux heures trente de retard. Elle était déchirée entre la colère et l'inquiétude, chaque sentiment cédant tour à tour la place à l'autre.

Elle avait essayé de le joindre à son hôtel. En vain. Elle avait laissé plusieurs messages.

Peut-être avait-il oublié ?

Peut-être avait-il décidé que la litanie de souvenirs et d'excuses commençaient à lui peser, et avait-il préféré tout quitter avant de se retrouver davantage impliqué ?

Annie posa les coudes sur la table et se prit la tête entre les mains. Elle avait beau essayer de s'en convaincre, elle n'y parvenait pas. Cela ne sonnait pas juste. Wyatt n'était pas le genre de personne qui l'abandonnerait. Jamais. Au plus profond de son âme, elle l'avait compris depuis des années. Au plus profond d'elle-même, elle savait qu'il l'aimait encore. Et que même s'il avait badiné avec une autre, elle était l'amour de sa vie. Et qu'elle le resterait toujours.

Elle soupira, et son souffle souleva de fines mèches de cheveux. Elle se leva alors et commença à débarrasser la table. Les garçons avaient pioché dans leurs assiettes, clamant que si Wyatt n'avait pas à manger de spaghettis, eux non plus. Après un repas pénible pendant lequel elle n'avait fait que tergiverser, menacer et cajoler pour leur faire avaler une ou deux bouchées, Annie les avait laissés sortir de table et les avait envoyés jouer dans leur chambre en attendant Wyatt.

Plus tard, le bain s'était révélé un autre exercice de patience maternelle. Ils *savaient* que Wyatt n'allait pas tarder à arriver, et qu'il les poursuivrait et les chatouillerait. « Une seconde, maman, laisse-lui le temps d'arriver ! » répétaient-ils sans cesse. Une fois lavés et glissés dans leurs pyjamas Batman et Superman, elle les avait autorisés à rester éveillés en attendant que Wyatt arrive et leur lise une histoire. Après une bonne heure d'attente, les garçons s'étaient assoupis et Annie avait retiré les livres de leurs mains avant de les border.

Pendant un long moment, avant de redescendre, elle était restée debout à la porte de leur chambre et les avait regardés dormir, en pensant que Wyatt avait intérêt à avoir une sacrée excuse pour les avoir laissés tomber !

9.

Plusieurs coups frappés à la porte, suivis des aboiements frénétiques de Chopper, réveillèrent Annie en sursaut. Elle se redressa sur le canapé et cligna des yeux vers la pendule. Il était plus de minuit. Qui pouvait bien... ? Tout ensommeillée, elle s'enveloppa d'un plaid, tituba jusqu'à la porte et regarda à travers les petits carreaux de verre.

Wyatt ?

— Chopper, tais-toi !

Elle saisit le chien par le collier et le tira en arrière.

Que faisait donc Wyatt ici à cette heure tardive ? Soudain, son esprit s'éclaircit et elle se rappela qu'elle était furieuse contre lui. Et morte d'angoisse. Elle tourna rageusement le verrou et ouvrit la porte d'un coup sec, en espérant que l'expression courroucée de son visage lui ferait comprendre tout ce qu'elle éprouvait.

Il aurait pu, au moins, avoir la politesse de téléphoner !

C'était du moins ce qu'elle pensait jusqu'à ce qu'elle remarquât l'épuisement de son regard, la raideur de son corps, la contraction des muscles de son cou et de sa mâchoire. Il s'était passé quelque chose. Quelque chose de terrible... Elle le devinait à son air abattu. Effrayée d'avance, elle ferma les yeux sur les visions qui l'avaient obsédée toute la soirée. Des réminiscences du jour de la mort de Carl.

Wyatt entra et attira Annie contre lui. Il la serra avec un tel désespoir qu'elle en eut le souffle coupé. Elle l'entoura de ses bras et répondit à son étreinte, absorbant sa chaleur, son parfum, son corps puissant et les battements rassurants de son cœur.

Dieu merci, il était là. Il allait bien. C'était tout ce qui comptait. Pourvu que Wyatt fût vivant et en bonne santé, Annie se sentait de taille à affronter n'importe quoi. A cet instant, toutes ses interrogations et toutes ses inquiétudes sur les sentiments de Wyatt à son égard s'évanouirent.

Après l'avoir étreint un long moment en silence, Annie se recula et le regarda. Il semblait harassé et effrayé. Le prenant par la main, elle le conduisit dans le salon et le fit asseoir à côté d'elle sur le canapé. La pièce était un peu froide et elle partagea le plaid avec lui.

Enfin, elle rassembla son courage et demanda :

— Que s'est-il passé ?

— Ma sœur a été agressée.

Annie se raidit et chercha son regard.

— Que dis-tu ?

Wyatt prit une profonde inspiration, retint son souffle une seconde puis expira lentement. Il serra le plaid autour de ses épaules, saisit les mains d'Annie et les appliqua sur son cœur.

— Lorsqu'elle est rentrée de son travail ce soir, un homme l'attendait chez elle.

— Tu plaisantes !

— Non.

— Est-ce qu'elle va bien ?

— Physiquement, oui. Toby est arrivé à temps pour faire fuir cette ordure, mais elle a été sérieusement choquée.

— Choquée ?

— Il ne l'a pas violée, mais j'ai l'impression qu'il en avait bien l'intention... Entre autres choses.

— Oh, non ! C'est terrible !

Ses yeux se remplirent de larmes et la terreur qui la saisit à la gorge fit frémir son corps tout entier. Soudain, Annie se sentit violentée, elle aussi.

— Comment est-ce possible ? Ces choses-là n'arrivent pas à Keyhole.

Il serra ses mains un peu plus fort contre son cœur.

— Ma chérie, j'ai bien peur que ces choses-là arrivent n'importe où, de nos jours.

— Pas *ici* ! Non, c'est impossible.

Incapable de parler, elle battit des paupières pour retenir ses larmes. C'était l'une des principales raisons pour lesquelles elle continuait à vivre ici. Ses garçons étaient en sécurité. Rien ne pourrait jamais leur arriver tant qu'elle habitait à Keyhole. Cette bonne ville protectrice et démodée qu'était Keyhole. Une ville sans histoires, peuplée de gens sans histoires. La criminalité était bonne pour les grandes métropoles, comme celle où Wyatt vivait.

— Je suis désolé, murmura-t-il contre sa tempe, tandis que les larmes roulaient sur ses joues.

Il lâcha ses mains pour mieux la serrer dans ses bras et elle s'appuya contre sa poitrine, sensible à son réconfort. Frottant son visage contre la bordure de fourrure du plaid, elle redevint la petite fille qu'elle avait été. En sécurité et protégée.

Cela faisait si longtemps que personne ne l'avait prise dans ses bras pour la consoler. Elle soupira avec lassitude en appuyant sa joue contre la douceur de son T-shirt et, lentement, elle sentit que son corps se détendait.

Les larmes qui avaient roulé au bout de son nez étaient tombées juste au-dessus du cœur de Wyatt et avaient laissé de petites taches sombres. Elle avait sans doute bien piètre allure ! Ses joues devaient être en feu, comme elles l'étaient toujours quand elle pleurait, et son nez devait être rouge comme une tomate. Avec ses cheveux ébouriffés et ses vêtements froissés, elle savait qu'elle ne devait pas être belle à voir.

— Où est-elle, maintenant ? demanda-t-elle.

— Chez ta mère.

— *Ma* mère ?

— Je l'ai appelée…

Annie se redressa.

— Une seconde… Tu as téléphoné à *ma* mère ?

— Oui. Et je lui ai demandé si cela ne la dérangeait pas d'accueillir Em quelques jours. Puisqu'elle vit seule, je me suis dit qu'elle avait de la place.

— Et elle a accepté ?

— Bien sûr. Jusqu'à ce que cette affaire soit résolue, bien entendu… Et ta sœur est d'accord pour rester avec Em quand ta mère ne pourra pas être là.

— Tu as téléphoné à ma sœur ?

— Ta famille est formidable, Annie.

— Oui, je le sais… Mais je ne croyais pas que tu le pensais également.

— Elles m'ont pardonné.

— Je vois ça.

Annie replia ses jambes sous elle et elle se pelotonna plus près de Wyatt. Appuyant de nouveau sa tête contre son bras, elle leva les yeux vers lui.

— Elle sera en sécurité, avec maman.

— J'en suis sûr.

— Est-ce que l'agresseur a été arrêté ?

Wyatt appuya son menton sur le haut de la tête d'Annie.

— Non. Il s'est enfui juste avant que Toby arrive. Apparemment, il s'était caché un certain temps chez elle, et il a attendu qu'elle rentre.

— Mais pourquoi ? Pourquoi entrer par effraction chez quelqu'un, puis attendre que la personne revienne ? Est-ce une espèce de harceleur criminel ?

Wyatt resta silencieux mais, pour Annie, son silence voulait tout dire.

— C'est déjà arrivé, n'est-ce pas ?

La fatigue atténuant ses résistances, Wyatt regarda Annie fixement.

— Comment le sais-tu ?

— Tu te comportes comme une mère poule avec son poussin. Wyatt, je sais que le monde est cruel, mais ici, tu es à Keyhole. La seule ville de tout le pays où personne ne ferme jamais ses portes à clé.

Il ferma les yeux et renversa la tête contre le dossier du canapé.

— Je ne suis pas censé en parler.

— Mais tu en parles.

D'abord, il haussa les épaules. Ensuite, il hocha la tête.

— Est-ce que je vais avoir besoin d'une tasse de café et d'un brownie pour écouter cela ? demanda-t-elle.

— Tu as fait des brownies ?

Pour la première fois de la soirée, une petite lueur de gaieté brilla dans les yeux de Wyatt.

— Oui.

— Avec un glaçage au caramel et des noix ?

— Exactement, approuva-t-elle en riant.

— J'adore le glaçage au caramel et les noix.

— Je n'ai pas oublié.

Il resta silencieux un long moment. Sa pomme d'Adam montait et descendait tandis que, du regard, il faisait le tour de la pièce. Annie devina qu'il était en train de lutter contre les vieux démons qui l'envahissaient, et que l'agression de sa sœur lui rappelait les souvenirs douloureux de sa propre enfance : le sentiment de ne rien contrôler, le sentiment d'impuissance, de faiblesse… Elle savait qu'il cherchait à prendre sa revanche, sans y réussir, ce qui le laissait frustré et en colère. Doucement, elle écarta une mèche de cheveux de ses yeux et laissa glisser ses doigts le long de son visage jusqu'à sa mâchoire.

Elle voulait lui dire qu'elle l'aimait. Elle dit simplement :

— Je vais réchauffer du déca.

Sans cérémonie, il la repoussa.

— Allons-y.

Assis devant une tasse de café et une montagne de brownies chauds recouverts de glace à la vanille, Annie et Wyatt discutaient dans la profondeur de la nuit. Wyatt commençait enfin à se détendre. Les brownies avaient le pouvoir apaisant de l'ambroisie, et la cuisine confortable et chaleureuse était un havre de paix, loin des cruelles réalités de la vie. Il savourait chaque seconde, ajoutant ce moment passé avec Annie aux autres souvenirs qu'il conservait dans son cœur, et qui l'aideraient à traverser de futurs moments solitaires.

— Donc, tu es en train de me dire, interrompit Annie en pointant sa fourchette vers Wyatt, que la femme que j'ai rencontrée quand nous étions à la fac n'était pas ta mère adoptive, mais quelqu'un qui avait pris sa place ?

La bouche pleine, Wyatt approuva d'un signe de tête.

— On se croirait dans un feuilleton à quatre sous. Dis-moi... Comment se fait-il qu'aucun d'entre vous ne se soit jamais aperçu de la substitution ?

— Eh bien, d'abord, elle lui ressemblait à tout point de vue. Ensuite, Meredith ne nous avait jamais dit qu'elle avait une sœur jumelle. Troisièmement, maman a été blessée dans un terrible accident de voiture. Nous étions convaincus que son changement de personnalité était une séquelle de la commotion cérébrale.

— D'accord, laisse-moi voir si je te suis. Patsy serait donc la sœur jumelle de Meredith...

— C'est ça.

— Dans un geste passionnel, elle tue le père de son enfant avec une paire de ciseaux une fois qu'il a « vendu » le bébé. Elle essaie de faire accuser sa sœur Meredith de ce meurtre, mais elle échoue. Elle est emprisonnée puis envoyée dans un hôpital psychiatrique d'où elle s'échappe. Pour finir, elle provoque l'accident de voiture dans lequel ta mère est tuée.

— Ça, nous n'en sommes pas sûrs.

Annie l'interrogea du regard avant de demander :

— Ta mère serait vivante ?

— Si seulement !

— O.K. Laissons à Patsy le bénéfice du doute quant au meurtre de ta mère. Euh... Où en étions-nous ? interrogea-t-elle en faisant tournoyer sa fourchette en l'air.

— Elle a provoqué l'accident de voiture de Meredith...

Wyatt souffla sur son café et sourit de l'intérêt qu'Annie témoignait pour cette histoire familiale.

— Oui, c'est ça… Donc Emma, ou plutôt Emily, se souvient avoir vu sa mère « en double » sur le lieu de l'accident avant de s'évanouir.

Annie attaqua sa part de gâteau.

— Incroyable ! Une jumelle maléfique ! L'essence de tous les bons contes de fées !

— Et du coup, tu te demandes lequel de tes garçons est le plus diable des deux, n'est-ce pas ? taquina Wyatt pour essayer de détendre l'atmosphère.

— Ils le sont tous les deux, répondit Annie en riant, avant de reprendre son sérieux. Ainsi… Emily est en danger parce qu'elle risque de révéler toute la vérité au sujet de Patsy ?

— Il semble bien.

— Et la tentative d'assassinat à l'anniversaire de Joe… C'était elle aussi ?

Wyatt haussa les épaules.

— Je ne sais pas. Nous savons que Patsy n'a pas envie de renoncer à son style de vie. Peut-être a-t-elle senti que Joe se rapprochait de la vérité.

— Elle est donc vraiment folle !

— Bien pire que ça.

— Dites-moi que c'est fait.

Œil-de-Serpent tira une longue bouffée sur sa cigarette pour se calmer les nerfs, et donna une tape sur les doigts qui étaient en train de lui chatouiller l'oreille.

— Pas…

Il souffla un énorme nuage de fumée grise et toussa.

— … encore.

— *Pas encore ?* Comment ça, pas encore ?

La voix stridente de Patsy lui transperça une oreille tandis que les ricanements assourdis du pilier de bar avachi à ses côtés emplissaient l'autre.

— Je vous paie pour quoi ?

Silas Pike grimaça de douleur. Il déplaçait son corps meurtri pour que la femme, qui n'avait de « légère » que le nom, pût s'asseoir sur ses genoux. Sauter par la fenêtre de la maison n'avait pas été une bonne idée. Les blessures dues à la chute et les morsures du chien étaient là pour le prouver.

Il baissa vivement la tête pour que l'ivrogne dans son dos ne pût rien entendre.

— J'ai essayé de faire le boulot ce soir, mais elle est rentrée une heure plus tôt et elle m'a surpris.

Il baissa encore la voix.

— Les poulets sont arrivés, fallait que je me tire.

— Es-pè-ce d'i-diot !

Patsy lança les syllabes séparément, comme s'il s'agissait des balles d'un semi-automatique.

— Maintenant, elle sait que vous êtes à Keyhole ! *Maintenant, la police sait que vous êtes à Keyhole !*

Œil-de-Serpent pouvait presque voir son visage devenir cramoisi, et il eut l'impression que le téléphone le brûlait.

— Cela fait deux fois que vous manquez votre coup. Le travail est simple, faites-le !

Œil-de-Serpent grilla sa cigarette jusqu'au mégot et souffla des nuages d'épaisse fumée par les narines.

— Faut que j'me planque quelques jours. Le temps que les choses se tassent par ici.

— Je vous laisse jusqu'à la fin de la semaine. Ensuite, j'exige des résultats.

Les mains tremblantes, Silas Pike raccrocha violemment, puis il vida d'une seule traite son whisky et le fit suivre d'une chope de bière. Cette sorcière lui rappelait trop sa mère, décidément ! Quand il mettrait la main sur elle, il lui réglerait son compte, comme il aurait dû le faire à sa mère il y a bien longtemps.

Et il se sentirait beaucoup mieux après.

*
* *

— Maman ? Je voulais aller aux toilettes et j'ai vu les lumières en bas et je… Hé, maman ! Wyatt est là !

— Hé ! Salut, mon pote !

Pour être sûr qu'il ne rêvait pas, Alex se frotta les yeux avec ses poings avant de regarder Wyatt de nouveau.

— Regarde, maman ! C'est lui ! Tu vois ? Je t'avais dit qu'il viendrait !

Alex se précipita vers Wyatt et, debout à côté de sa chaise, il s'appuya contre son bras.

— Wyatt ? Tu es venu pour nous lire une histoire ?

— Est-ce que ton frère est réveillé ?

— Oui… Il est dans la salle de bains.

— O.K., alors retourne vite dans ton lit. J'ai apporté deux nouveaux livres que nous pouvons lire si ta maman est d'accord.

Annie approuva d'un signe de la tête, heureuse de l'expression de joie affichée par son petit garçon.

— C'est d'accord. Je vais remettre un peu d'ordre ici. Je monte dans quelques minutes pour vous embrasser et vous souhaiter une bonne nuit, les garçons.

— Les garçons ? demanda Wyatt innocemment. Tous ?

Alex observa sa mère avec curiosité.

— Oui, tous.

— Promis ? s'enquit Wyatt en remuant les sourcils.

— Promis.

Riant de son expression, Annie leur fit signe de partir et entreprit de mettre les tasses à café et les assiettes dans le lave-vaisselle. Elle les écouta discuter tandis qu'ils sortaient de la cuisine et traversaient le salon, puis elle entendit que Wyatt verrouillait la porte.

— Sean Mercury est venu emprunter des œufs pour sa maman, ce soir. Il a dit que tu allais forcément te marier avec ma maman, parce que vous vous êtes embrassés.

Annie se figea et écouta la réponse de Wyatt.

— Et comment est-ce que ton copain Sean sait que j'ai embrassé ta maman ?

— Je lui ai dit.

— Vraiment ?

— Ben, oui !

— Bien ! Et selon Sean, quand est-ce que je devrais lui demander ?

— Bientôt. Tu peux même le faire maintenant si tu veux.

— Mais je croyais que je devais te lire une histoire, maintenant ?

— Ah, oui. Eh ben, tu peux lui demander demain alors.

— Et cela te plairait que je lui demande ?

— Ben oui ! Comme ça tu serais notre papa. On n'a jamais eu de papa.

— Mais si, fiston, tu as eu un papa. C'est juste qu'il est monté au ciel plus tôt que prévu. Mais il reste toujours ton papa.

La voix du garçonnet s'atténua tandis qu'il arrivait en haut de l'escalier et traversait le couloir.

— Alors, il sera notre papa qui est au ciel, et toi, tu seras notre papa de tous les jours.

— Tu as pensé à tout.

— Ouaip !

Ravalant ses larmes, Annie recouvrit d'un film plastique le plat de brownies, le rangea au réfrigérateur et passa l'éponge sur le plan de travail. Plus que toute autre chose, elle voulait que ses garçons puissent connaître la sécurité d'un amour paternel. Mais elle refusait de bouleverser leur vie et de rendre tout le monde malheureux.

On avait besoin d'elle, ici, à Keyhole. Elle devait veiller sur sa mère. Elle avait des amis, une famille, un passé, une entreprise à gérer. Une entreprise familiale qui se transmettait de génération en génération.

En outre, la capitale ne l'attirait plus comme lorsqu'elle était enfant. A moins de considérer la capitale comme la ville où Wyatt habitait… Elle soupira et regarda fixement sans le voir son reflet flou dans la fenêtre, la perspective de vivre en ville suscitant de tout autres sentiments.

Mais tout de même… Il ne s'agissait plus seulement d'elle. Elle devait prendre en compte ses garçons. MaryPat. Brynn. La famille de Carl.

La confusion lui donnait mal à la tête. Elle rassembla une pile de serviettes de table et de torchons qu'elle emporta jusqu'à la machine à laver, et elle mit en route une lessive. La semaine précédente encore, sa vie semblait tellement simple ! Maintenant, tout était sens dessus dessous. Elle avait l'étrange impression que ce fouineur de Sean Mercury pourrait bien avoir raison. Et si Wyatt voulait effectivement reprendre là où ils s'étaient arrêtés voilà tant d'années et l'épouser ? Construire une famille avec elle ?

Elle sortit du séchoir une tournée de linge et entreprit de le plier sur le haut du congélateur. Son esprit travaillait à toute vitesse.

Maudit soit Wyatt !

Elle roula des paires de chaussettes et les jeta dans le panier à linge. Maudit soit-il de réapparaître dans sa vie sans crier gare, en la bouleversant totalement une fois de plus ! Il lui avait fallu tellement de temps pour se remettre de toutes les pertes qu'elle avait subies… Et à présent, à cause de lui, une nouvelle perte pointait à l'horizon.

Si elle décidait de le suivre, elle perdait sa famille.

Si elle le rejetait, elle perdait son amour.

Le panier à linge appuyé sur la hanche, Annie s'avança vers la chambre de ses garçons. Le profond silence qui régnait la surprit. Elle s'était plutôt attendue à ce que le vacarme des monstres de l'espace déchaînés fît trembler les murs de la maison. Elle déposa son panier sur une table de toilette en marbre, s'approcha et observa la scène qui s'offrait à elle.

Wyatt, bien trop grand et dégingandé pour le lit d'enfant de Noah, était adossé à la tête du lit, la tête inclinée sur le côté, ce qui lui vaudrait certainement un bon torticolis le lendemain matin. Une jambe traînait par terre, l'autre dépassait au bout du lit. La bouche entrouverte, il ronflait légèrement. Les garçons d'Annie, coincés sous chaque bras, dormaient eux aussi profondément, leurs têtes se soulevant et s'abaissant au rythme de sa respiration. Le livre qu'ils avaient lu gisait sur son ventre.

Roulé en boule au pied du lit, Chopper dormait contre la jambe de Wyatt.

Annie s'agrippa au chambranle de la porte et, comme elle regardait ce tableau émouvant, elle se sentit envahie d'un étrange mélange de paix et de mélancolie. Dans quelques jours, Wyatt partirait assister au mariage de Liza à Prosperino. Ensuite, il reviendrait peut-être veiller sur Emily, mais assurément, il ne pourrait rester. Tout comme elle, il avait une entreprise à gérer. Des amis. Une famille. Une vie à lui. Une vie dont elle ne savait rien.

Refoulant la multitude de sentiments qu'elle était trop fatiguée pour analyser à cette heure tardive — 3 heures du matin, indiquait le réveil posé sur la table de nuit –, Annie traversa silencieusement la pièce. Comme promis, elle se pencha et déposa un baiser sur le front de chacun. Doucement, elle prit le livre et le posa sur le côté, puis elle remonta les couvertures pour qu'ils n'aient pas froid.

Wyatt remua dans son sommeil, sans déranger le moins du monde les garçons, et ils se retournèrent dans un mélange de bras et de jambes. Chopper se leva, tourna deux fois sur lui-même et se recoucha sur le lit. La main sur la bouche, Annie resta un instant à les regarder. Elle les aimait tellement, tous les trois, que ce sentiment en était presque douloureux.

Au cours des trois jours qui suivirent, Wyatt resta auprès d'Emily, chez MaryPat, chaque fois qu'elle n'était pas à son travail. Parfois, il arrivait à la convaincre de sortir pour se promener ou pour venir chez Annie, mais émotionnellement, elle avait les nerfs à vif. Elle sursautait au moindre bruit et des cauchemars perturbaient son sommeil. Le café était à ses yeux le seul endroit où elle se sentait vraiment en sécurité. Wyatt voulait qu'elle prît quelques jours de congé pour se reposer, mais Emily objectait qu'au moins elle n'avait pas le temps, pendant son travail, de ressasser cette seconde agression.

Une fois encore, elle avait eu de la chance, et ne gardait que quelques coupures et hématomes sans gravité de sa lutte avec l'homme qui, elle en était convaincue, l'avait suivie de Prosperino à Keyhole. Quant à lui, elle lui avait assené quelques coups avec le téléphone, puis lui avait jeté une plante en pot et une chaise de jardin avant de le piquer avec la pointe d'un parapluie de golf.

Wyatt ne pouvait exprimer la fierté qu'il éprouvait pour Emily. C'était une battante. Néanmoins, elle avait besoin de protection.

Chaque jour, après l'avoir accompagnée à son travail pour l'équipe du matin, et avoir fait promettre à Roy, Geraldine et Helen de ne pas la quitter des yeux jusqu'à ce qu'il vînt la chercher, Wyatt se rendait à la boutique et donnait un coup de main à Annie.

En très peu de temps, il avait beaucoup appris sur les antiquités et, si ses méthodes n'étaient pas très orthodoxes, son palmarès de ventes était impressionnant. Bien entendu, avec sa personnalité de gagnant, une compétition amicale, mais néanmoins acharnée, s'instaura entre Annie et lui. Ainsi qu'entre lui et MaryPat, lorsque celle-ci venait travailler quelques heures. Et enfin avec Brynn, qui venait parfois remplacer Annie à l'heure du déjeuner.

Ce jeudi soir, Brynn passa au magasin au moment où Wyatt, Annie et MaryPat comptabilisaient leurs tickets de caisse. Les enfants faisaient rouler des petites voitures sous le bureau de leur mère tandis que les adultes travaillaient. C'était une journée de printemps bruineuse dans la petite ville de Keyhole. Des nappes de brume s'accrochaient au sommet des montagnes et filaient à travers les arbres. Le paysage était tout bonnement somptueux. En regardant par la fenêtre, Wyatt comprenait parfaitement pourquoi Joe conservait de tels souvenirs de ses années d'enfance passées dans le Wyoming. Malgré l'obscurité qui commençait à tout envelopper, le bureau d'Annie était clair, chaleureux et confortable.

Wyatt reporta son regard vers le bureau et loucha vers les colonnes de chiffres soigneusement inscrites dans le cahier de comptes. Les doigts volant sur les touches de la calculatrice, Annie inscrivait les totaux de la journée de chacun.

— J'ai gagné ! lança-t-il. Brynn, j'ai le regret de te dire que j'ai fait bien mieux que toi aujourd'hui.

— Non, ce n'est pas vrai !

— Si !

Du doigt, il montra la colonne de chiffres.

— Regarde ça, ma petite !

— Ah oui ? Tu te crois fort ? Eh bien moi, après avoir vendu cette baratte à beurre à l'heure du déjeuner, j'ai vendu la ferme du vieux Cooper à un couple de Los Angeles. Elle était sur le marché depuis *cinq* ans !

— La baratte à beurre ? Quel succès ! Mais la ferme du vieux Cooper, elle compte pour du beurre, justement, ironisa Wyatt.

Il agita la main dédaigneusement.

— J'ai vendu une armoire et un vaisselier pendant l'heure du déjeuner, et j'ai même eu le temps de manger un sandwich avec Emma et les garçons.

Un léger sourire se dessina sur les lèvres d'Annie tandis qu'elle écoutait les enfantillages entre Wyatt, sa mère et sa sœur.

— J'en ai mangé un entier, crâna Noah.

— Moi aussi, intervint Alex.

— Tu n'as pas mangé la croûte, accusa Noah.

— Si, je l'ai mangée.

— Nan, c'est pas vrai.

— Si c'est vrai.

— Les garçons, écoutez-moi, coupa Wyatt. J'essaie de vous faire remarquer que j'ai battu votre tante Brynn à plate couture, aujourd'hui.

— Tu l'as fait ? demanda Noah, la bouche grande ouverte.

— J'ai rien vu, s'étonna Alex, incrédule.

Brynn posa ses mains sur les hanches.

— Est-ce que je vous ai dit que j'avais aussi vendu cette soupière centenaire ?

— Waouh ! Je suis impressionné.

Brynn lui tira la langue.

— Ecoute, mon garçon, gazouilla MaryPat, tu te crois le plus fort parce que tu as vendu une malheureuse armoire et un vaisselier. Eh bien, sache que moi, j'ai vendu deux, tu entends bien, deux de ces horribles vases madrilènes !

Wyatt leva un sourcil.

— Vraiment ? Lesquels ?

— L'horrible jaune, avec les fleurs roses, et l'espèce d'art déco vert aux couleurs criardes.

— Je ne le crois pas ! Vous les avez vendus ?

— Et avant 9 heures du matin, s'il te plaît ! ajouta MaryPat en soufflant sur ses ongles avant de les frotter sur le revers de sa veste. Alors ? Qui est la meilleure ?

— Mais c'est vous ! Je ne fais pas le poids.

Brynn et MaryPat s'esclaffèrent tandis que Wyatt s'inclinait devant elles.

— En vérité, intervint Annie, Wyatt décroche la première place avec près de trois mille dollars…

Wyatt se leva d'un bond, dribla avec un ballon imaginaire avant de le lancer dans un panier tout autant imaginaire.

— Il tire et marque ! cria-t-il.

Ses singeries ridicules enthousiasmèrent les garçons et ils se mirent à danser autour de lui, jacassant, riant et tirant sur ses vêtements.

— Je veux jouer au basket ! hurla Noah.

— Moi aussi ! cria Alex.

Annie dut élever la voix pour être entendue au-dessus du brouhaha.

— J'arrive deuxième avec près de mille cinq cents dollars. Maman, tu as encaissé un peu plus de cinq cents dollars et Brynn, tu totalises deux cent cinquante. Tout compte fait, c'est une journée mémorable. Merci beaucoup à vous tous.

— Eh bien, demain, je serai la reine des encaissements, mon pote, fanfaronna Brynn devant Wyatt.

— Oh, que non !

Wyatt saisit un garçon sous chaque bras et se mit à courir autour du bureau.

— Et pourquoi pas ?

Wyatt s'arrêta et laissa glisser Noah par terre.

— Parce que demain matin, je dois retourner en Californie.

A cette nouvelle, la pièce devint brusquement silencieuse. Wyatt et Annie échangèrent un regard avant de se tourner avec une vive inquiétude vers les quatre visages subjugués.

— Tu t'en vas ?

La voix d'Alex se brisa tandis qu'il se penchait en arrière dans les bras de Wyatt pour le regarder droit dans les yeux.

— Mais tu viens juste d'arriver ! protesta Noah en s'accrochant à la jambe de Wyatt.

Brynn et MaryPat restèrent silencieuses, mais de toute évidence, elles brûlaient de curiosité.

— Je dois assister au mariage de ma cousine.

— T'es obligé ?

— J'en ai bien peur.

Lentement, Wyatt posa Alex à côté de son frère.

Les yeux de Noah s'emplirent de larmes.

— Mais tu peux pas partir… Tu as embrassé ma maman.

— Et tu lui as pas encore demandé de se marier avec toi ! T'as pas oublié ?

Faisant de son mieux pour rester stoïque, Alex retenait ses larmes.

Brynn et MaryPat se regardèrent, les yeux écarquillés, et Annie enfouit son visage dans ses mains.

Un silence pénible s'installa. Puis les garçons se mirent à pleurer.

— Je ferais mieux de vous laisser.

Brynn s'empara de son sac, et MaryPat, redoutant la tension, se leva à son tour.

— Oui, moi aussi. Je vais dîner au café. Ensuite, je ramènerai Em à la maison. Tu viens avec moi, Brynn ?

— Je te suis.

Le temps d'échanger quelques baisers accompagnés de regards compréhensifs et elles étaient parties, laissant Annie et Wyatt consoler les deux enfants.

— T'es pas obligé de partir, hein ?

— Dis-leur que tu veux pas ! Dis-leur que tu veux rester ici. Avec nous.

Wyatt s'accroupit pour se mettre au niveau des enfants.

— Ç'a l'air tentant, mais ma cousine compte sur moi.

— Mais nous aussi !

Ils vinrent se blottir contre lui et, glissant leurs petits bras autour de ses épaules, ils se serrèrent contre lui.

Wyatt lança à Annie un regard désespéré, auquel elle répondit de façon tout aussi affligée. La grande tristesse qui se lisait sur les visages innocents des enfants émut profondément Wyatt, lui rappelant de nombreux souvenirs d'abandon. A leur façon de s'agripper à sa chemise, il mesura le lien de très fort attachement qui s'était formé entre eux et lui. Bien qu'il ne fût pas leur père, il était devenu, dans l'esprit de ces enfants de cinq ans, un père de remplacement. Une espèce d'oncle-papa-copain… Et en temps que tel, il savait qu'il ne pouvait assister au mariage de Liza sans réconforter un tant soit peu les garçons.

Toute la question était de savoir comment.

Il chercha désespérément une réponse, mais en vain.

— Je reviendrai dès que le mariage sera terminé. Je ne serai parti que pour le week-end. Je serai de retour dimanche après-midi. Nous pourrons jouer, et je vous lirai des histoires avant de dormir.

A l'expression de leur visage, Wyatt savait que cela ne suffisait pas.

— Pourquoi on peut pas venir avec toi ? demanda Noah.

— Comme ça, on te manquera pas ! renchérit Alex.

Séduit par cette possibilité, Wyatt regarda tour à tour les deux garçons.

— Vous savez quoi ? Ce n'est pas une mauvaise idée du tout !

— Oh, non, je ne crois pas que…

Les mains levées en signe de protestation, Annie recula d'un pas et secoua la tête.

— Mais pourquoi pas ? objecta Wyatt. Il y a suffisamment de place à la maison, et Liza sera ravie. Crois-moi, si j'arrive avec mon amie, *tout le monde* sera enchanté.

— Qui a parlé d'une amie ?

Les infimes traces d'un sourire égayèrent le coin des yeux de Wyatt.

Sentant qu'il avait toutes ses chances, il insista.

— Allons..., roucoula-t-il en levant les yeux vers elle, avec le même air de chiot que les garçons. Sois gentille avec le monsieur. Je ne veux pas être le seul nigaud non accompagné.

Alex renifla.

Noah se frotta les yeux et l'esquisse d'un sourire se dessina sur ses lèvres.

— Il veut pas être un nigaud, maman.

— Oui, maman. Sans toi, il aura l'air bête.

Pour ne pas être en reste, Noah déclara :

— Il aura l'air idiot, maman.

— Les garçons..., commença Annie en levant un sourcil sévère.

Wyatt l'interrompit alors :

— Je vous invite.

— Ce n'est pas une question d'argent, Wyatt.

— Alors quoi ?

— Je ne suis pas sûre de...

— De quoi ?

— Tu sais... Meredith...

— Qui est Meredith ? demanda Noah.

— Meredith est ma maman, expliqua Wyatt avant de se retourner vers Annie. Etant donné que son acolyte se trouve ici, à Keyhole, nous serons certainement plus en sécurité à Prosperino. En outre, il y aura des dizaines d'enfants.

— Et Emily ?

— Ta mère, ta sœur, ainsi que Toby et toutes les forces de police de Keyhole veilleront sur elle.
— Et le magasin ?
— Demande à Brynn ou à MaryPat de te remplacer samedi. Si elles ne peuvent pas, ferme momentanément.
— Et Chopper ?
En entendant son nom, Chopper battit de la queue sur le plancher.
— Il reste ici. Dans un chenil. Je m'en occupe aussi.
— Mais…
— Allons, Annie, cesse de chercher des excuses. A quand remonte la dernière fois que tu as quitté cette ville et que tu t'es amusée ? A quand remonte la dernière fois où tu as emmené les garçons quelque part ?
Il sentait qu'elle était en train de faiblir.
— Tu sais, poursuivit-il, il fait déjà chaud, là-bas. Le week-end dernier, les températures ont dépassé les vingt-cinq degrés. On pourra emmener les enfants voir l'océan.
— L'océan ? demanda Noah en bondissant, surexcité.
— On n'a jamais vu l'océan, ajouta Alex.
Wyatt sourit.
— Annie, ils n'ont jamais vu l'océan.
— Dis oui, maman.
Annie soupira, ouvrit la bouche pour parler et se tut.
— Tout le monde serait ravi de te revoir.
Puis Wyatt abattit sa dernière carte.
— Et cela signifierait beaucoup pour moi et les garçons, si tu acceptais.
Tous trois la regardèrent alors avec des yeux suppliants.

10.

— Bon, d'accord !

Annie retourna à son bureau et se laissa tomber sur sa chaise.

— Vous avez gagné !

Les garçons restèrent bouche bée, le temps de comprendre ce que leur mère venait de dire.

— On y va ?

Annie hocha la tête.

La joie des jumeaux fut indescriptible. Ils bondirent, hurlèrent et serrèrent d'abord Wyatt dans leurs bras, puis leur mère.

— Je vais préparer nos affaires.

Alex se précipita dans la salle de jeux et commença à ramasser des brassées entières de jouets. Noah le rejoignit et, bientôt, ils en avaient rassemblé suffisamment pour remplir tous les bagages que leur mère possédait.

Annie était aux anges. Wyatt avait raison. Cela faisait bien trop longtemps qu'elle n'avait pris de vacances. Pour tout dire, le seul voyage qu'elle eût jamais fait avec les garçons les avait conduits dans l'Iowa, chez Judith, à l'occasion des fêtes de Noël. Les jumeaux avaient alors trois ans. Sans doute s'en souvenaient-ils à peine.

Un sentiment d'excitation s'installa dans sa poitrine, remonta le long de sa colonne vertébrale et parcourut son corps tout entier. Elle allait retourner à Prosperino avec Wyatt. Sa dernière visite avait eu lieu avant la mort de son père. La perspective de marcher pieds nus sur la plage en compagnie de Wyatt, tout en regardant ses garçons gambader dans les vagues de l'océan, ressemblait à un rêve devenu réalité. Un rêve qu'elle n'aurait jamais osé caresser avant cette minute…

La fièvre démesurée des enfants était contagieuse.

Annie s'enivra du merveilleux sourire de Wyatt et frémit de nouveau d'exaltation.

— Comment allons-nous obtenir des billets d'avion, en aussi peu de temps ?

— J'appellerai mon agence de voyages dès demain matin. S'il n'y a plus de place sur mon vol, nous prendrons un autre itinéraire. Ne t'inquiète pas, nous trouverons une solution.

Il prit sa main, la fit se lever et l'attira contre lui avant de l'enlacer.

— Avant de partir, je voudrais que tu fasses quelque chose pour moi.

— Quoi donc ?

— Je voudrais que tu ajoutes cinqs cent dollars à mes recettes de la journée.

Annie recula et le regarda, interloquée.

— Cinq cents dollars ? Mais pourquoi ?

— Parce que j'achète un des tableaux que tu as réalisés… Ce panier de raisins.

D'un geste de la main, il désigna un ravissant tableau sépia et violet qu'Annie avait peint des années plus tôt en souvenir de sa vie à Prosperino. Et en souvenir de Wyatt.

— Tu l'achètes ? Pourquoi ?

— Je souhaite que Liza et Nick aient quelque chose de particulier pour célébrer le début de leur union, et ce tableau est exactement ce qu'il leur faut. C'est une partie de Prosperino, une partie du Wyoming, et une partie de toi.

Annie sentit les larmes perler à ses yeux. Se jugeant stupide, elle battit des paupières pour chasser ses pleurs. Wyatt ne cesserait jamais de la surprendre avec ses délicates attentions. Quand elle glissa les bras autour de sa taille et se dressa sur la pointe des pieds, il posa sa bouche sur la sienne et y appliqua un baiser tendre et délicat qui lui coupa les jambes.

En une fraction de seconde, elle décida qu'elle se préoccuperait de son avenir plus tard. Pour l'instant, à l'instar de ses garçons surexcités, elle allait profiter de tout ce qui s'offrirait à elle, et elle affronterait l'angoisse de la séparation le moment venu.

Car cela arriverait...

Elle ne voyait aucun moyen d'y échapper.

Tandis que ses bracelets cliquetaient, Patsy pianotait sur le clavier de son ordinateur portable. Très concentrée, elle tirait légèrement l'extrémité de la langue et pinçait ses lèvres peintes en rouge vif. De temps à autre, elle s'arrêtait pour siroter son espresso et écouter le bourdonnement d'activité derrière la porte de sa chambre.

Pas de chance, ma petite ! pensa-t-elle. Encore une fête prénuptiale prodigieusement assommante à supporter ! Et que dire de toutes ces conversations fastidieuses avec la famille Coltons ! De tous ces sentiments à la noix, de ces sourires exaspérants ! Elle en était fatiguée, rien que d'y penser. N'avaient-ils donc rien de mieux à faire que de passer leur temps à s'extasier sur une morale de conte de fées et sur les promesses d'amour, d'honneur, d'obéissance et de vénération ? Elle en était presque malade !

En bas, dans la cour magnifiquement décorée, les préparatifs du mariage allaient bon train. Les fleuristes s'affairaient en tous sens, de délicieuses senteurs s'échappaient des cuisines et toute une file de camions déversaient quantités de tables, de chaises, de nappes et d'immenses tentes blanches de jardin.

Sachant que personne ne la cherchait ni n'avait besoin d'elle — ce qui lui convenait parfaitement —, Patsy décida que c'était le moment idéal pour se mettre à la tâche. Pour faire tourner le vent, afin que Jackson fût inculpé de tentative d'assassinat. L'idée de son neveu enfermé à perpétuité dans la prison d'Etat stimula son imagination et, à mesure qu'elle tapait sur le clavier, sa diabolique intelligence lui arracha un sourire.

« A M. l'Inspecteur Chad Law

« Monsieur,

» En tant qu'honnête citoyenne, je souhaite vous mettre au courant d'une situation que j'ai incidemment découverte ces derniers jours. En rapport avec les tentatives d'assassinat envers Joe Coltons, veuillez contrôler la police d'assurance n° 1762529 établie par la compagnie d'assurances Grimble de Los Angeles, ainsi que le procès civil Amalgamated Industries contre Jones.

» Pour des raisons relatives à ma propre sécurité, vous comprendrez que je souhaite conserver l'anonymat. »

Patsy relut sa lettre plusieurs fois avant de décider qu'elle était absolument parfaite. Lorsque la police aurait vérifié cette piste, Jackson deviendrait le suspect numéro un. Voilà ce qu'il en coûtait de menacer tante Meredith ! Elle cliqua sur l'icône d'impression et, tandis qu'elle se carrait dans son fauteuil, le téléphone portable sonna.

Elle se jeta sur l'appareil et arracha brusquement sa boucle d'oreille.

— Quoi encore ?

A en juger par les bruits de fond, Silas Pike devait encore tuer le temps dans un bar !

— Je vous appelle seulement pour vous dire que ça n'est pas encore fait. Y'a plus de gens qui la surveillent que si elle avait une garde rapprochée. Elle a déménagé chez une espèce de vieille bique, et les flics tournent autour comme de la vermine !

Patsy roula des yeux.

— Silas, Silas, Silas !

Elle prit un malin plaisir à répéter ce prénom qu'il détestait. S'adossant à sa chaise, elle examina ses ongles et poursuivit sur un ton froidement calme :

— Vous étiez censé avoir terminé le travail, à l'heure qu'il est. N'est-ce pas ce que nous étions convenus, lorsque je vous ai envoyé une avance supplémentaire ?

Silas Pike resta silencieux si longtemps qu'elle crut qu'il avait raccroché.

— Silas ! hurla-t-elle.
— Ouais ?
— Alors ? Quand comptez-vous en finir ?
— Mais y'a son frère qui ne la lâche pas d'une semelle ! se plaignit-il.
— Son frère ?
Patsy se figea. Elle croyait pourtant que tout le monde était réuni à la maison pour le mariage. Quel frère ? Il y avait tellement de Coltons ! Comment savoir ?
— Comment s'appelle-t-il ?
— Wally, ou Whippet, ou quelque chose comme ça.
— Wyatt ?
Elle n'en croyait pas ses oreilles. Bien sûr ! Wyatt était parti depuis quelques jours pour un prétendu voyage d'affaires. Il avait « affaire » à Keyhole. Avec Emily. Pétrifiée, Patsy sentit son cœur s'arrêter de battre une fraction de seconde.
Est-ce que cela voulait dire que Wyatt avait découvert la vérité ?
Elle réfléchit à toute vitesse. Comment pouvait-il savoir qu'Emily se terrait à Keyhole ? A moins que... Son sang se glaça. Quelqu'un avait-il entendu l'une de ses conversations téléphoniques avec Œil-de-Serpent ? Emily aurait-elle gardé le contact avec sa famille sans qu'elle le sût ? Elle-même avait-elle commis une erreur et laissé échapper un indice ?
De minuscules gouttes de sueur perlèrent sur sa lèvre supérieure. Elle eut soudain une impression de chaud et froid, et se sentit nauséeuse. Combien de personnes pouvaient bien suspecter qu'elle se trouvait derrière la tentative d'assassinat d'Emily ? Et celle de Joe ?
Elle chercha fébrilement ses cigarettes. Après avoir brisé plusieurs allumettes, elle parvint enfin à en allumer une et tira une longue bouffée afin de retrouver son calme. Il fallait impérativement qu'elle garde son sang-froid.
Ce n'était pas le moment de perdre la tête.
Elle emporta son téléphone jusqu'à sa réserve personnelle à liqueurs. Avec des pinces en argent, elle emplit de glaçons un verre en cristal et versa une généreuse rasade de vodka. Elle porta d'abord son

verre à ses joues enflammées puis à ses lèvres. La boisson brûlante réchauffa sa gorge et embrasa son estomac. Tandis qu'elle écoutait Œil-de-Serpent monologuer à tort et à travers, son esprit se mit à travailler et ses nerfs en boule se détendirent.

Elle posa le bord de son verre sur ses lèvres.

Tout allait bien. Quand elle aurait mis la machine en route, personne ne pourrait soupçonner qu'elle avait tout orchestré. Mais il fallait se hâter. Elle devait envoyer l'après-midi même à cet inspecteur Law le message qu'elle venait d'imprimer. Cette lettre, combinée aux autres plans qu'elle avait élaborés à l'intention de Jackson... Silas A. Pike pouvait bien être un idiot de la dernière espèce, cela n'aurait plus aucune importance ! Elle serait au-dessus de tout soupçon, et Emily serait morte. Et Joe également, peut-être.

La sensation de brûlure dans son estomac s'apaisa pour n'être plus qu'un minuscule tas de tisons ardents. *Tout irait bien.* Il lui fallait simplement garder son sang-froid. Elle se tirait toujours d'affaire tant qu'elle conservait son calme.

Elle laissa tomber les cendres de sa cigarette dans un lourd cendrier de cristal.

— Alors comme ça, Wyatt est venu rendre visite à notre petite Emily ?

— Ouais. Mais il s'en va pour aller à un mariage demain, et il emmène des amis avec lui. Je m'occuperai de la gamine à ce moment.

— Wyatt revient à Prosperino avec des amis ?

— Ouais.

Œil-de-Serpent grogna et cracha.

— Il devrait être arrivé, maintenant. La mioche reste ici avec la vieille. Mais ça devrait pas être un problème. Et si la vieille se met sur mon chemin, tant pis pour elle.

— J'en ai, de la chance ! ironisa Patsy. Deux pour le prix d'une ! Ecoutez, faites donc le travail pour lequel nous nous sommes mis d'accord. Je ne paye pas au poids !

Grinçant des dents, Patsy se passa la main dans les cheveux.

— Au rythme où vous allez, vous serez mort avant d'avoir terminé le premier travail.

— Samedi soir. Ce sera fait d'ici à demain soir.

— Vous avez intérêt. Si vous voulez voir le reste de votre argent.

— Hé ! A propos…

— Non ! coupa-t-elle. Je ne verserai pas un dollar de plus avant d'être débarrassée de cette gamine.

Sur ces mots, elle raccrocha violemment et retourna à son ordinateur.

Après avoir enfilé une paire de gants en latex, elle plia la lettre et la glissa dans une enveloppe. De la main gauche, elle traça l'adresse du bureau de Chad Law. Ensuite, elle colla le timbre et glissa la lettre dans son sac.

Il ne lui restait plus qu'à se rendre en ville pour poster cette petite merveille.

C'était le début de la fin pour l'arrogant Jackson Coltons. Un sourire entendu arrondit les coins de la bouche de Patsy.

Rien que le début…

Wyatt, Annie et les enfants atterrirent à San Francisco tôt dans l'après-midi de ce vendredi. Ils louèrent une voiture et suivirent la route touristique qui longeait la côte en direction de Prosperino. En chemin, bien sûr, ils s'arrêtèrent pour acheter des cerfs-volants, courir sur le rivage, creuser dans le sable des trous aussi profonds qu'inutiles, ramasser des coquillages, manger des hot dogs brûlés et des chamallows inévitablement saupoudrés de quelques grains de sable.

Sentant la fumée du feu qu'ils avaient allumé sur la plage et couverts de la tête aux pieds de sable et d'eau salée, ils rangèrent leur pique-nique improvisé dans le coffre de la voiture et profitèrent des routes peu fréquentées qui serpentaient à travers les magnifiques vignobles californiens pour rejoindre l'Hacienda del Alegria.

La journée était chaude et sans nuage et lorsque les jumeaux se furent endormis sur la banquette arrière, Annie saisit l'occasion de discuter avec Wyatt sans être interrompue.

— J'ai un peu peur…

Elle tirait sur les fines mèches de cheveux qui s'échappaient de son épaisse natte.

— Pourquoi ?

— Il s'agit d'une réunion familiale, privée et intime.

— Et alors ?

— Tu ne comprends pas..., répondit Annie dans un murmure.

— Je comprends plus que tu ne le crois. Mais si je t'aime, Annie, ils t'aimeront.

Entendre Wyatt prononcer le mot *aimer* lui coupa le souffle. Sans doute ne voulait-il pas dire qu'il l'aimait d'amour. Il devait ne l'aimer que dans le sens le plus simple et le plus courant du terme. Comme on aime une ancienne petite amie... Et certainement pas de cet amour inconditionnel qu'elle lui avait voué pendant toutes ces années.

Comme s'il avait perçu son angoisse, Wyatt prit sa main dans la sienne et l'attira pour qu'elle s'assît juste à côté de lui. Comme par le passé.

Lentement, leurs regards se croisèrent, et se retinrent pendant un moment intense avant que Wyatt ne reportât son attention sur la route.

Le cœur d'Annie chavira. Wyatt était un homme tellement formidable ! Comment avait-elle eu la force de vivre sans lui et d'épouser Carl ? Elle était différente, à cette époque. Si jeune, si obstinée... Telle que Brynn l'était aujourd'hui. Elle voyait alors la vie en noir et blanc. Aujourd'hui, les choses n'étaient plus aussi simples. D'infimes ombres grises se profilaient partout. Sur toute chose. Plus rien ne lui apparaissait tranché, désormais.

Hormis le fait qu'elle aimait toujours Wyatt. Peut-être plus que jamais. Il était plus âgé, plus sage, doté d'une plus grande maturité. C'était un homme dans toute la plénitude du terme. Quelqu'un sur qui elle pouvait compter, comme elle avait compté autrefois sur son père.

Alors que la voiture avalait les kilomètres, elle se laissa aller à repenser au jour de son mariage. Lorsqu'elle avait épousé Carl, elle était presque morte intérieurement. A l'exception de cette partie de son cœur qui saignait encore pour Wyatt. Carl n'avait rien remarqué.

Depuis l'école primaire, il attendait impatiemment le jour où Annie lui appartiendrait. Leur futur mariage apparaissait d'ailleurs comme une évidence pour tout le monde, à Keyhole. Pour tout le monde, sauf pour elle.

Pour elle, c'était une façon d'oublier Wyatt.

Elle s'était imaginé que si elle enfouissait ses sentiments au plus profond d'elle-même, elle parviendrait à l'oublier et, peut-être, par la même occasion, à tomber amoureuse de son mari. Malheureusement, les multiples problèmes personnels de Carl, dont elle n'avait pris la mesure qu'après le mariage, l'avaient conduite à se replier davantage sur elle-même. S'obliger à ne rien éprouver avait été la seule façon de survivre, jusqu'à la naissance des garçons qui l'avait réconciliée avec la vie.

Consciente qu'elle regardait fixement le visage de Wyatt depuis de longues minutes, Annie reporta son attention sur la route et se pinça la lèvre.

Comment parviendrait-elle à affronter le désespoir qu'elle était certaine de ressentir lorsque Wyatt serait retourné à sa vie ordinaire ? Il lui avait été facile de s'apitoyer sur son sort quand elle n'était responsable que d'elle-même. Mais à présent, elle avait deux petits garçons qui l'empêcheraient de mourir de chagrin. Elle pouvait à peine imaginer leur douleur après le départ de Wyatt. A coup sûr, leur angoisse ne ferait qu'accroître la sienne.

Irrésistiblement attirée par Wyatt, elle se tourna de nouveau vers lui. Elle examina la courbe délicate de sa bouche, les petites rides qui rayonnaient au coin de ses yeux, la fossette de son menton qu'elle avait si souvent embrassée quand elle était étudiante, le muscle de sa mâchoire qui tressaillait parfois quand il était soucieux. Ou qu'il se sentait d'humeur possessive…

Elle le connaissait si intimement ! Et pourtant, de bien des façons, il était différent de l'adolescent d'autrefois.

D'instinct, elle savait qu'il avait souffert de leur rupture. Il avait réagi en se plongeant corps et âme dans son travail. En déployant ses capacités hors pair, il oubliait la solitude de son existence. Annie porta son regard au loin, vers le Pacifique qui semblait infini.

Il n'avait pas dû être facile, pour lui, de faire le premier pas et de reprendre contact, après toutes ces années. Ni d'admettre qu'il avait eu tort. Pourtant, il l'avait fait. Et il l'avait fait avec une telle discrétion, un tel tact !

Elle jeta un coup d'œil vers la banquette arrière et regarda les visages de chérubins de ses enfants, qui dormaient paisiblement. Sa gentillesse, ses attentions à l'égard des deux petits garçons, les enfants d'un autre homme, témoignaient d'autant plus de sa personnalité exceptionnelle.

Et maintenant, il mettait sa carrière entre parenthèses pour veiller à la sécurité de sa sœur…

Annie essaya de lutter contre les émotions qui lui serraient la gorge.

Qu'il le sût ou non, Wyatt était devenu quelqu'un que Joe Coltons devait être fier d'appeler son fils.

Lorsqu'ils s'engagèrent dans la longue allée bordée d'arbres qui conduisait à l'Hacienda del Alegria, Annie fut de nouveau subjuguée par l'imposante propriété, véritable symbole de cette famille comblée de privilèges et de puissance. Une telle grandeur était presque effrayante. Avait-elle été trop naïve pour le remarquer, à un plus jeune âge ? Ou n'était-ce pas plutôt ce qu'elle avait appris sur Patsy Portman qui la terrifiait, davantage que l'architecture grandiose qui se déployait sous ses yeux ?

Annie n'y était pas revenue depuis ses années d'université, et elle s'enivra de cette magnificence. Les souvenirs de jours heureux l'envahirent. Elle se tourna vers ses garçons qui venaient de s'éveiller et qui observaient, bouches bées, par les vitres. Ensuite, elle regarda Wyatt et ils échangèrent un sourire.

La maison, ou plutôt le manoir était entouré de collines arrondies. Les colonnes en stuc et briques qui bordaient la route succédaient à la rangée d'arbres et conduisaient à l'immense propriété, fermée par des grilles ouvragées en fer forgé. Ensuite, plus près de la demeure, un mur en stuc orné d'une série d'arches massives d'inspiration méditerranéenne conférait à l'ensemble l'allure solitaire d'une forteresse dans la lueur déclinante de l'après-midi. Une forteresse impénétrable, puissante et protectrice.

Annie savait que ce sentiment n'était qu'une illusion.

Tout comme l'impression qu'elle éprouvait désormais dans sa ville natale. Car aussi longtemps que l'agresseur d'Emily s'y trouverait, Keyhole ne serait pas un lieu plus sûr que Prosperino.

Au-delà des champs qui s'étendaient à l'infini, les montagnes composaient une toile de fond couleur lie-de-vin. Les rayons obliques du soleil traversaient le bosquet qui abritait la maison et jetaient une sublime lueur dorée sur le toit de tuiles en terre cuite. La voûte céleste sans nuages s'assombrissait, prélude au spectacle d'étoiles qui se jouerait bientôt.

Annie ne pouvait imaginer d'endroit plus merveilleux sur terre. C'était tellement magique ! Tel un paysage tout droit sorti d'une toile de maître.

Comme Wyatt l'avait prévu, Rand, Lucy et plusieurs membres de la famille Coltons les accueillirent à bras ouverts. Ayant entendu les éclats de voix, Liza s'échappa d'un rendez-vous de dernière minute avec l'organisateur du mariage et se précipita pour serrer son cousin dans ses bras et accueillir la tristement célèbre Annie. Dès l'instant où Wyatt avait annoncé qu'il amenait une « ancienne petite amie », toute la famille, et Lucy plus particulièrement, s'était perdue en conjectures.

Après moult embrassades et étreintes, Liza prit Annie par la main.

— Annie, nous ne nous sommes jamais rencontrées quand Wyatt et toi étiez à l'université, mais j'ai beaucoup entendu parler de toi depuis des années. Je suis si heureuse que tu sois présente à mon mariage !

— Je te remercie, murmura Annie.

Liza se tourna ensuite vers Noah et Alex.

— Hé, bonjour, les garçons ! J'espère que vous avez apporté vos maillots de bain.

Timidement, ils répondirent d'un hochement de tête, mais leurs visages trahissaient leur curiosité.

— Parfait ! Vos bagages ont été montés dans votre suite, qui se trouve juste à côté de celle de Wyatt. Nous allons vous y conduire immédiatement. Et si votre maman est d'accord, vous pouvez mettre vos maillots de bain et vous baigner dans la piscine.

— C'est très gentil, répondit Annie en souriant.

Guidée par Liza, ils traversèrent l'immense vestibule et se dirigèrent vers la cour située au cœur de la maison. Le ciel, qui tenait lieu de plafond, permettait à la lumière du soleil de se répandre à flots et aux plantes de s'épanouir. Devant l'impressionnante fontaine qui agrémentait une extrémité de cette cour, une petite tonnelle drapée de plusieurs mètres de tulle avait été dressée pour abriter un autel.

— C'est ici que Nick et moi échangerons nos promesses, demain après-midi, expliqua Liza, alors qu'ils s'arrêtaient pour admirer cette cour luxuriante, semblable à un atrium romain. Ce sera un mariage intime, avec seulement la famille et les amis pour la cérémonie.

Annie lança un regard inquiet à Wyatt.

Il lui fit un clin d'œil, puis caressa le creux de ses reins, et soudain Annie se sentit acceptée. Perdue dans ses rêves, Liza souriait de bonheur en imaginant son mariage.

— Après la cérémonie, la réception accueillera deux ou trois cents autres invités. Elle se tiendra dans le grand hall, face au lac et au jardin du coteau sud. Nous ouvrirons ces portes vitrées qui mènent au patio. Si nous avons le temps, un peu plus tard, je vous y emmènerai. Les décorateurs se sont surpassés.

Elle continua à babiller sans fin, tout en quittant la cour et en les conduisant vers la suite de Wyatt.

— J'espère seulement qu'il fera aussi beau demain qu'aujourd'hui, dit Liza en riant. Sinon, nous devrons nous réfugier sous les tentes qui ont été dressées. Il y aura un dîner, et ensuite nous danserons jusqu'à l'aube. Bien entendu, oncle Joe nous a promis quelques crus de sa réserve personnelle, aussi les toasts vont durer jusqu'au bout de la nuit.

Elle rit de nouveau.

— Oh, je suis si heureuse ! Cela fait tellement longtemps que j'attends ce moment, vous ne pouvez pas vous imaginer !

Annie regarda Wyatt à la dérobée et, en un éclair, elle sut qu'il pensait à leur propre histoire. A cette histoire qui leur avait échappé. A son mariage avec Carl. A la faible probabilité qu'ils se marient un jour. Elle le savait sans aucun doute possible, car elle nourrissait exactement les mêmes pensées.

Ils traversèrent l'intérieur opulent de la demeure et se dirigèrent vers l'aile où ils allaient séjourner. Une fois encore, Annie se rappela ses visites précédentes, qui lui paraissaient si lointaines.

En passant devant le bureau de Joe, elle ne put s'empêcher de jeter un œil. Elle se souvint des riches odeurs de bois fraîchement ciré, de fumée de cigare, et les heures qu'elle y avait passées à étudier en compagnie de Wyatt. Ou plutôt… à *étudier* Wyatt. Elle ne put réprimer un sourire. Quel plaisir de revoir Joe !

Revoir Meredith serait, en revanche, une tout autre affaire.

Elle posa les yeux sur ses enfants. Les mesures de sécurité ayant été renforcées, elle savait qu'ils étaient probablement plus protégés ici qu'ils ne pouvaient l'être à Keyhole, où un agresseur se promenait librement. Mais aussi rapprochée que pût être la surveillance, cette Meredith n'en était pas moins dérangée. Au mieux, elle passerait le plus clair de son temps à l'écart, vaquant à ses propres occupations comme elle le faisait à cet instant.

Annie donna un petit coup de coude à Wyatt et, comme il avait toujours su lire en elle, il demanda à Liza après avoir regardé autour de lui :

— Liza ? Où est Meredith ?

— Elle est restée cloîtrée dans sa chambre toute la matinée, et cet après-midi, elle est sortie en voiture. Je ne l'ai pas vraiment vue de toute la journée. Mais je sais que Joe vous attend avec impatience. Il est dans le cellier et il va remonter d'un moment à l'autre.

En l'absence de son oncle et de sa tante, Liza tenait le rôle de l'hôtesse. Son expression chaleureuse réconfortait Annie. Grâce à Liza, Annie se sentait accueillie, et elle lui en était reconnaissante.

— Avez-vous faim ?

Wyatt passa sa main sur son estomac et répondit pour tout le monde.

— Plutôt ! Nous avons fait un pique-nique sur la plage, mais c'était il y a plusieurs heures.

— Très bien, je vais vous faire monter un petit en-cas. Nous avons un immense dîner de famille à 8 heures, juste après la répétition de la cérémonie. Un dernier repas, en quelque sorte !

Liza rit et prit Wyatt par le bras. Tout en conduisant Annie et les garçons à leur chambre, la future mariée s'adressa à son cousin sur ce ton de confidentialité qui témoignait de leur long attachement.

— Je suis heureuse que tu sois revenu à temps pour mon mariage, cher cousin.

— Je te l'avais promis.

— C'est vrai, mais ce n'aurait pas été la première fois que tu aurais laissé ton travail bouleverser tes projets.

— Cette époque est révolue.

— Vraiment ?

Liza jeta un coup d'œil par-dessus son épaule.

— Elle doit avoir une bonne influence sur toi.

— En effet.

— Tant mieux ! Elle est adorable, Wyatt.

— Je le pense aussi.

— Alors, est-ce que j'entends sonner les cloches du mariage ?

— Oui, mais j'ai bien peur qu'il ne s'agisse du tien.

Bien plus tard, ce soir-là, tandis que les enfants s'amusaient au dehors, les adultes répétèrent dans la grande cour la cérémonie de mariage de Nick et Liza, sous la direction de l'organisateur et du prêtre. Il y eut beaucoup de rires et de plaisanteries. Joe s'empara du bouquet et s'enfuit en courant, Wyatt prit Liza dans ses bras et s'enfuit avec elle, Lucy et Rand s'enlacèrent devant l'autel et s'embrassèrent passionnément chaque fois qu'ils le purent, au point qu'ils furent chassés et sévèrement réprimandés.

Meredith ne manqua à personne.

Noah et Alex jouèrent jusqu'à l'épuisement dans la piscine, puis ils se régalèrent d'une pizza tout en regardant un film dans l'auditorium, en compagnie des autres enfants de la famille Coltons, avant qu'Annie ne les couche et ne rejoigne le reste de la famille pour le dîner.

Joe était en pleine forme. Il raconta des histoires et porta des toasts. Comme dans les souvenirs qu'Annie gardait de lui, il était toujours aussi gentil et distingué. Il l'accueillit comme une enfant perdue de vue depuis longtemps et réprimanda Wyatt de l'avoir cachée pendant toutes ces années sans jamais la laisser sortir.

Wyatt écouta la plaisanterie avec bonne humeur, mais le regard possessif qu'il portait sur Annie faisait murmurer et sourire toute la famille.

Meredith fit une brève apparition au cours du dîner, puis, dès qu'elle eut supporté autant de réjouissances qu'elle le pouvait, elle présenta ses excuses et s'éclipsa. La soirée continua sans elle, comme c'était généralement le cas. Seul Joe parut vaguement troublé par son absence.

Frappé par la soudaine mélancolie de son oncle après le départ de Meredith, Jackson bondit sur ses pieds et porta un autre toast pour détendre l'atmosphère.

— A Joe, fils adoptif, frère adoptif, père adoptif et petit cousin adoptif…

Joe sourit et, lentement, il détacha ses yeux de la porte par laquelle Meredith venait de sortir.

Annie éprouva de la peine pour Joe. Il devait repenser à son propre mariage, à l'amour qu'il avait perdu. A sa promesse de demeurer avec Meredith jusqu'à ce que la mort les sépare.

Elle s'efforça d'oublier cette pensée amère. Des vigiles étaient postés partout. Le mariage de Nick et Liza se déroulerait certainement sans la moindre anicroche. Aucun membre de la famille Coltons n'avait quoi que ce fût à craindre de Meredith.

— Qu'il vive longtemps et qu'il prospère ! continua Jackson. Comme nous tous.

Après le dîner, Wyatt emmena Annie faire une promenade au clair de lune. Main dans la main, ils flânèrent dans la propriété. Enfin, ils se retournèrent pour admirer la demeure illuminée et scintillante, véritable joyau posé au sommet de la colline. De l'endroit où ils se trouvaient, ils entendaient les voix et les rires qui se mêlaient à la musique.

Liza avait engagé un petit orchestre de jazz pour la soirée. Il s'était installé dans le patio, à l'arrière de la maison, et de nombreux couples s'étaient rassemblés pour danser sous les étoiles. Wyatt prit Annie dans les bras et ils dansèrent joue contre joue.

— Tu te souviens, quand nous dansions des slows dans la cafeteria, le samedi soir ? On repoussait les tables, on tamisait les lumières et les cinq dortoirs se retrouvaient pour écouter de la musique et danser jusqu'à ce qu'une responsable vienne nous chasser. Tu te rappelles ?

— Je me souviens de la première fois où nous avons dansé ensemble…

Elle émit un petit rire voilé.

— Vraiment ?

— Oui, je venais d'être invitée par le plus mignon de tous les élèves, avec une coupe de cheveux en brosse…

Wyatt s'étrangla de rire.

Annie l'ignora et poursuivit :

— J'ai accepté, et il s'est tourné pour me conduire sur la piste de danse. Mais avant que nous y arrivions, tu m'as vue, tu m'as attrapée par la main et tu m'as tirée au milieu de la piste sans même me demander mon avis. Je te connaissais à peine et…

Elle éclata de rire et Wyatt rit avec elle.

— Et il a fallu plusieurs minutes à ce pauvre garçon pour comprendre qu'il était en train de danser avec nous deux !

— Et alors ? Il n'avait pas à se plaindre. Si je me souviens bien, j'étais un bon danseur.

— Ah oui ? Alors dis-moi pourquoi j'avais toujours une boîte de pansements dans mon sac quand nous allions danser ?

— Tu avais des ampoules parce que tu n'arrivais pas à suivre ton Fred Astaire ? suggéra Wyatt.

— Non. Tu m'écrasais les orteils.

Il haussa les épaules.

— Est-ce que je suis en train de t'écraser les pieds, maintenant ?

— Tu sembles avoir perdu cette habitude.

— Tant mieux.

Il embrassa délicatement son cou.

— Est-ce que tu t'amuses ?

Il espérait ne pas lui avoir fait faire tout ce chemin pour découvrir qu'elle s'ennuyait.

— C'est divin, murmura-t-elle, appuyée contre son épaule. Ta famille est aussi adorable que dans mes souvenirs. Le mariage de Nick et Liza va être magnifique. J'ai eu le souffle coupé, ce soir, à la répétition, quand ils ont échangé leurs vœux. Nick a regardé Liza si tendrement, quand il a promis de l'aimer jusqu'à ce que la mort les sépare ! C'était très... émouvant.

Il répugnait à lui poser la question, mais cela faisait trop longtemps qu'il attendait, et il était rongé par la curiosité.

— Cela te rappelle ton mariage ?

— Non.

— Non ? Pourquoi ?

— Je ne garde pas de très bons souvenirs de mon mariage.

— Oh...

Ils restèrent silencieux un long moment, pendant lequel Wyatt redouta d'avoir dépassé les limites et réveillé une douleur ancienne. Il s'effrayait qu'elle pût penser qu'il se montrait inquisiteur.

— Pourquoi as-tu de si mauvais souvenirs de ton mariage ? demanda-t-il néanmoins.

Annie ne répondit pas.

Wyatt attendit, se demandant comment revenir en arrière. Devait-il s'excuser d'avoir posé une question aussi directe ? Quelque chose lui intima l'ordre de se taire.

Annie prit une profonde inspiration, puis elle sembla se résigner au fait qu'il était temps pour elle de lui parler de sa vie avec Carl.

— Eh bien, pour commencer…, murmura-t-elle en s'arrêtant de suivre le rythme de la musique.

Elle baissa les yeux. Sa voix devint un murmure.

— Je n'aimais pas mon mari.

11.

Annie savait que Wyatt ne se contenterait pas de cet aveu, et qu'il voudrait tout savoir. Incapable d'affronter son regard perçant, elle se tourna et reprit lentement le chemin de la maison. Elle devinait que Wyatt la suivait, lui laissant la distance dont elle avait besoin pour formuler ses propos. Le problème, c'est qu'elle ne s'était jamais étendue sur le sujet auparavant, et qu'elle avait bien du mal à trouver ses mots. Elle arracha une petite branche morte à un arbre et la roula entre ses doigts tout en marchant.

— Quand nous étions à l'Université, te souviens-tu m'avoir entendue parler de Carl, cet ami d'enfance ?

— Ton mari ?

— Lui-même.

— Euh… Un peu. Je suppose.

— Je ne parlais pas beaucoup de lui, en vérité. J'avais des raisons de ne pas m'étendre à son sujet.

— Hé, attends ! Maintenant que j'y pense, je me rappelle vaguement que tu m'avais parlé d'un certain Carl, qui t'avait donné ton premier baiser. Ça me revient parce que je me souviens que je le détestais !

Annie rejeta la tête en arrière et éclata de rire.

— Je t'avais uniquement parlé de lui parce que tu te vantais d'avoir embrassé des quantités de filles, et j'étais un peu vexée.

— Je mentais probablement. Tu sais, les garçons fanfaronnent souvent.

— Tu avoues enfin ! Quoi qu'il en soit, c'est vrai, c'est lui qui m'a donné mon premier baiser. En quelque sorte… Nous étions en troisième et Carl me poursuivait dans la cour de l'école, comme il l'avait fait à chaque récréation pendant les trois années précédentes. Et finalement, j'en ai eu assez. Je l'ai laissé me rattraper.

Elle cessa de marcher et leva les yeux vers la magnifique Hacienda del Alegria, si romantique dans la nuit étoilée. Une immense tache noire comme de l'encre s'étendait à l'est. L'océan Pacifique était plongé dans l'obscurité la plus totale. Seuls leur parvenaient les brises marines qui soulevaient ses cheveux dans son cou, les effluves salins et l'incessant grondement de la mer.

Wyatt s'approcha derrière Annie, posa ses mains sur ses épaules et appuya doucement son menton sur le haut de sa tête.

— Qu'a-t-il fait ?

Annie grimaça.

— Je crois qu'il a reçu un choc. Depuis le temps qu'il me poursuivait, ce devait être grisant de me mettre enfin le grappin dessus. Tous les élèves de quatrième de la classe de Mlle Dalberg nous regardaient. Il savait qu'il devait faire quelque chose de marquant. Un geste symbolique en quelque sorte. Alors, il m'a embrassée. Sur la bouche. De toutes ses forces. J'ai même cru un instant qu'il m'avait cassé une dent. Ensuite, il a annoncé qu'un jour ou l'autre il m'épouserait, que cela me plaise ou non.

Elle poussa un profond soupir.

— Et il l'a fait.

— Il devait y avoir autre chose ?

Annie leva un bras et le laissa retomber en signe d'impuissance.

— Pas vraiment. A partir de ce jour, tout le monde m'a considérée comme la petite amie de Carl.

— Pas moi.

— Je sais. Mais toi, tu étais différent.

— Je n'étais pas de Keyhole.

— Et c'est ce que j'ai aimé en toi.

Elle sourit et poursuivit :

— Carl était... tenace. Je suppose que c'est le mot qui lui convient. Possessif. Sans oublier... un peu tyrannique.

Elle leva un doigt et inclina la tête.

— Quoique sympathique, comme tyran.

— Je vois le tableau ! ironisa Wyatt d'un ton sarcastique.

— Je n'ai jamais fréquenté aucun autre garçon de Keyhole. Ils avaient tous peur de Carl dès qu'il était question de moi. Et, étant donné cette période de mon adolescence, où je me sentais différente, trop maigre, timide ou mal à l'aise à cause de mes cheveux, je suppose que j'étais contente de bénéficier d'un peu d'attention. Avec Carl, j'avais toujours un cavalier pour le bal de la promotion, pour ainsi dire.

— Comment as-tu réussi à lui échapper et à arriver à Prosperino ?

— Pendant la dernière année au lycée, je lui ai dit que je partais et qu'il n'avait pas à discuter. Je crois qu'il a été tellement surpris par ma détermination qu'il n'a rien trouvé à redire. Mais au plus profond de mon cœur, je savais que je devais m'éloigner de Keyhole, où je n'étais que la petite amie de Carl, pour découvrir qui j'étais réellement.

— Et la Californie ensoleillée était suffisamment loin de l'influence de Carl.

Annie cassa la brindille en deux et la jeta. Lentement, elle se tourna vers Wyatt et scruta son visage. Il la comprenait. Elle aurait seulement souhaité avoir pu lui parler de son mariage plus tôt.

— Exactement. Depuis le jour où j'avais fait l'erreur de le laisser m'attraper, il ne m'avait plus laissée tranquille.

Annie prit une profonde inspiration, puis elle souffla lentement.

— Quoi qu'il en soit, j'ai annoncé à tout le monde que je voulais aller à l'université et personne, Carl moins que tout autre, ne m'a prise au sérieux. Dans la famille de Carl, on ne poursuivait pas ses études à l'université. Ils ont cru que ce n'était qu'une idée saugrenue. Tout le monde se figurait que cela me passerait et que je comprendrais vite que ma place était aux côtés de Carl. Il reprendrait l'entreprise de pièces détachées d'automobiles de son père, et moi, je m'occuperais des enfants. Mais quand j'ai commencé à travailler au magasin avec mon père et que j'ai mis de l'argent de côté pour l'université, il y en a plus d'un qui a été surpris. Malgré tout, Carl a pensé que l'argent servirait pour nous, pour plus tard.

— Quel mufle !

— C'était tout lui. Il a toujours considéré comme acquis que la gamine rousse, timide et empruntée, serait ravie d'être son épouse. Je n'étais pas tant une compagne qu'un joli trophée. Ou un symbole de statut… Quelque chose comme ça. Tu sais, quand nous étions à la fac, je crois que nous n'avons jamais parlé d'amour, tous les deux. Mais grâce à mes parents, je savais que l'amour signifiait davantage que… comment dire… être ensemble.

Wyatt l'attira dans ses bras et déposa un baiser sur sa tempe.

Elle hocha la tête et glissa ses bras autour de sa taille, savourant son contact.

— L'amour signifie tellement plus ! reprit-elle.

— J'ai du mal à croire que tu aies été timide.

— Je l'étais jusqu'à ce que je te rencontre. Quelque chose en toi m'a rendue… Je ne sais pas…

— Dingue ? suggéra-t-il.

— Oui, répondit-elle en riant. Avec toi, j'ai oublié d'être timide.

— Tant mieux.

Il la fit pivoter, glissa un bras autour de ses épaules et ensemble, ils prirent le chemin de la maison.

— Viens, nous terminerons cette discussion à la maison. Il commence à faire froid, ici, et tu frissonnes.

Annie s'appuya contre lui.

— C'est toi qui me donnes des frissons.

— Comment dois-je prendre ça ?

— Mais comme tu veux !

Enlacés, ils rejoignirent lentement la maison paisible. Ils entendirent les accords assourdis de la fête qui battait son plein à l'arrière, tandis que devant, tout était calme. Ils étaient seuls. S'avançant dans l'obscurité que jetait le portique, ils gravirent les marches du perron et poussèrent les lourdes portes qui s'ouvrirent en silence. Les appliques murales éclairaient le hall d'entrée. Un peu plus loin, la cour où Nick et Liza prononceraient leurs vœux dans quelques heures offrait un spectacle féerique.

Des veilleuses, allumées pour la répétition, brûlaient encore dans des photophores de cristal et ponctuaient le chemin jusqu'à l'autel. Des projecteurs illuminaient la tonnelle et les plantations luxuriantes du jardin. Derrière eux, la fontaine gazouillait doucement. Quelle magnificence ! Annie aurait souhaité que son mariage fût seulement à moitié aussi beau.

Main dans la main, Wyatt et elle se sentirent irrésistiblement attirés sur le chemin éclairé qui conduisait à l'autel.

— Quelle magie ! s'émerveilla Annie à voix basse, pour ne pas troubler l'atmosphère sacrée.

— L'endroit idéal pour un mariage.

Wyatt hocha la tête et se tourna vers elle.

Annie entendait presque résonner la marche nuptiale dans la cour. Wyatt aurait fière allure, en smoking. Et elle avait toujours rêvé d'une vraie robe de mariée. De fleurs en abondance. Ainsi que d'un photographe professionnel.

— Je me suis mariée dans le jardin des parents de Carl, chuchota-t-elle en caressant du doigt les rubans du somptueux bouquet qui ornait l'autel. C'était un mariage de la plus grande simplicité. Je portais une robe ivoire et les fleurs de mon bouquet venaient du jardin de maman. Oncle George, le frère de papa, a pris des photos avec son petit instantané. Ensuite, nous avons fait un barbecue pour tous nos amis, notre famille et les copains de pêche et de chasse de Carl. C'était son idée.

— Je suppose que ce n'était pas la cérémonie de mariage dont tu rêvais.

— Loin de là. Mais ça m'était égal.

Elle haussa les épaules.

— Tout m'était égal.

— Alors pourquoi l'as-tu épousé ?

— J'ai cru que je pourrais apprendre à l'aimer. Nous nous connaissions depuis toujours, depuis la maternelle.

Elle porta son regard vers la flamme vacillante des bougies posées sur la table devant l'autel.

— Papa voulait être sûr que je ne serais pas seule après sa mort, et il savait que le temps lui était compté. Judith était déjà mariée, et Brynn était une fonceuse qui saurait prendre soin d'elle. Quelle que soit la raison, il s'inquiétait pour moi. J'ai toujours été un peu sa préférée.

— Je comprends pourquoi, murmura Wyatt.

Annie saisit ses mains et, doucement, gaiement, elle les berça entre les siennes.

— Tu n'es pas objectif.

— Non, j'ai seulement bon goût pour juger les femmes.

Elle se blottit contre lui, mêlant ses bras aux siens tout en évoquant les souvenirs qui affluaient.

— Papa pensait que c'était une bonne idée que j'épouse Carl, car dans le fond, c'était un honnête garçon. Et Carl pensait que c'était une bonne idée que je l'épouse.

Son rire était un peu forcé.

— Tout le monde pensait que c'était une bonne idée, d'ailleurs…

Sa gorge se serra.

— … Sauf moi.

— Annie…

Wyatt lui fit lever le menton et, la regardant profondément dans les yeux, il murmura :

— Pourquoi as-tu fait tout ça ?

— Pour des milliers de raisons.

Les larmes brouillèrent ses yeux. Elle battit des paupières et, l'une après l'autre, les larmes roulèrent sur ses joues.

— Je l'ai épousé parce que je m'apitoyais sur mon sort. Sur le sien. Et sur le tien aussi. Je l'ai épousé parce que je savais que je devais t'oublier une bonne fois pour toutes. Je devais rompre le lien qui nous unissait pour que tu puisses réaliser tes rêves. Une épouse, des enfants t'auraient empêché d'avancer, et je savais combien il était important que tu montres au monde ce que tu pouvais réaliser.

Quand Wyatt voulut protester, elle posa un doigt sur ses lèvres.

— Ce n'est pas tout. Je l'ai épousé parce que je devais rester près de ma famille. Ils avaient besoin de moi. Je ne voyais aucune autre issue.

— Tu as donc épousé un homme que tu n'aimais pas.

— Je n'ai jamais dit que j'avais eu raison.

Wyatt resta silencieux pendant un moment qui parut une éternité à Annie. Elle voyait qu'il réfléchissait, cherchait, essayait de comprendre à quel moment ils avaient commis une erreur. L'expression de son regard était torturée, comme s'il se battait avec de vieux démons.

— Je suis désolée, Wyatt..., murmura Annie en ressentant le besoin brusque de s'excuser. Tu sais, ce n'est pas ta faute. J'ai pris ma décision seule. Et, au fond, tout n'a pas été négatif. Tu as ta carrière...

Wyatt tressaillit.

Elle tendit la main et apaisa le froncement qui se dessinait entre ses sourcils et lui offrit un sourire humide.

— ... et j'ai deux adorables bambins.

— Que tu es seule à élever, avec un travail à plein temps.

— C'est la vie, Wyatt. Cela aurait pu t'arriver, à toi comme à moi.

Lentement, Wyatt prit son visage entre ses mains et essuya les traces que les larmes avaient laissées sur ses joues.

— J'ai su par Rand que ton mari était mort, mais seulement plusieurs mois après. Il l'avait appris par la famille McGrath, qui le tenait de quelqu'un d'autre. Je n'avais aucun détail et j'avais peur de téléphoner.

— Cela n'a pas d'importance, je comprends.

Annie ferma les yeux.

— Il a eu un accident de bateau, juste après la naissance des garçons. Lui et deux copains de pêche se sont noyés dans le lac Willanoon, à environ cinquante kilomètres de Keyhole. Ils avaient bu, avaient chahuté, et ils ont heurté un dock flottant à pleine vitesse. Carl buvait beaucoup, surtout après la naissance des enfants. Je crois que les responsabilités lui faisaient peur.

La mâchoire de Wyatt tressaillit.

— Si tu ne sais pas pourquoi tu bats ta femme, elle, elle le sait.

Annie cligna des yeux et, couvrant les mains de Wyatt avec les siennes, elle en appuya la paume sur ses joues. Elle sentait que l'énoncé de ce dicton contenait une question, et ne savait que dire. Discuter des faiblesses de Carl alors qu'il n'était plus là pour se défendre ne lui semblait pas juste.

— Il… il ne m'a jamais frappée. Il ne savait pas comment s'y prendre pour être un bon mari et un bon père. Il n'avait jamais eu aucun exemple en grandissant. Son père était une véritable…

Elle agita la main.

— Il était dur avec Carl et avec sa mère. Il exigeait beaucoup. Il lui fichait des raclées à tour de bras. Je crois que j'éprouvais beaucoup de pitié envers Carl. Et je voulais aussi faire plaisir à mon père qui était mourant.

Wyatt soupira.

— Tu n'as jamais remarqué dans quelle galère l'image du père peut nous embarquer ?

Annie émit un bruit étrange, mi-rire mi-sanglot. Elle hocha la tête.

— Ça ressemble à une malédiction. Pour toi, pour moi… Et pour Carl.

— Et Noah, et Alex. Et Joe.

— Et Meredith.

— Et Meredith, murmura Wyatt.

Il passa sa main sur son visage et sa mâchoire.

— Mon Dieu ! J'espère que lorsque ce sera mon tour de devenir père, je ne commettrai pas les mêmes erreurs.

Annie l'interrompit en posant un doigt sur ses lèvres.

— Non. Pas toi.

— Comment le sais-tu ?

— Je le sais parce que j'ai vu ce que tu représentais pour mes garçons. Ils ne se souviennent ni de Carl ni de mon père. Tu es la figure paternelle la plus présente qu'ils aient jamais eue. Et dans le peu de temps que tu as passé avec eux, j'ai constaté des changements positifs. Je sais que tu seras un père formidable, un jour. Mes garçons t'aiment déjà énormément.

— Je les aime, moi aussi, murmura Wyatt en appuyant les mains d'Annie contre sa poitrine pour apaiser le rythme de son cœur.

Il la regarda droit dans les yeux.

— Toi aussi, Annie. Je t'ai toujours aimée. Et je sais que je ne cesserai jamais de t'aimer.

Tandis qu'elle le regardait dans les yeux, Annie eut l'impression de se trouver devant l'autel de son mariage avec Wyatt. Elle aimait ce sentiment, même si elle savait que ce rêve était impossible, étant donné leurs modes de vie radicalement opposés. Tout en retenant un flot de larmes, elle retrouvait intacte la douleur qui étreignait son cœur le jour où elle avait dit au revoir à Wyatt, sept ans auparavant. Les relations à distance ne donnaient jamais rien de bon. Wyatt et elle l'avaient déjà prouvé par le passé.

Pourtant, elle trouvait agréable de rêver. Même si ce rêve ne devait durer qu'un instant.

— Wyatt, je t'aime aussi. Je n'ai jamais cessé.

Son cœur battait à tout rompre. Que faisait-elle, à flirter ainsi avec le danger ? Elle caressa ses lèvres du bout des doigts et déclara dans un soupir :

— Soudain, j'ai du mal à respirer.

Wyatt inclina la tête et l'embrassa si tendrement qu'elle sut qu'il lui avait pardonné toutes ses stupides erreurs, comme elle lui avait pardonné les siennes. De ce point de vue au moins, la visite de Wyatt avait été un succès total.

Le lendemain matin, à des milliers de kilomètres de là, dans une petite ville du Mississippi, Louise Smith se réveilla après une bonne nuit d'un sommeil paisible et, pour la première fois depuis dix ans, elle se sentit extrêmement heureuse. Tel un chat, elle s'étira dans son lit, bâilla et se réjouit du flot de soleil qui traversait la fenêtre et la réchauffait. Les yeux fermés, elle s'efforça de retenir les bribes d'un rêve merveilleux.

De quoi s'agissait-il donc ? se demanda-t-elle tandis que les images défilaient dans sa tête. Mmm… Oui. Il y avait un jardin. Mais ce n'était pas n'importe quel jardin. C'était un jardin bien particulier. Elle en avait déjà rêvé. Elle avait participé à sa réalisation, elle en était certaine, car les fleurs et les plantes satisfaisaient son sens de la couleur et de la création. Elle entendait le bruit de l'eau… De l'eau qui gazouillait.

Elle posa sa main sur son front plissé et se força à se souvenir. Pourquoi cet endroit lui était-il si familier ? Elle savait que c'était un rêve récurrent, mais cela ne suffisait pas à tout expliquer. Elle était déjà allée dans ce jardin, elle en était certaine.

— … toute personne correspondant à ce signalement, veuillez contacter les autorités immédiatement. Et maintenant, pour la page météo et circulation, voici Jean Greene. Merci, Bob, et bonne journée à tous. Il fait 21° C et les températures ne cessent de grimper. Un front chaud nous arrive de…

Son radio-réveil l'arracha brutalement à ses pensées et il lui fallut quelques instants pour se dégager de ses couvertures et appuyer sur le « stop ». Le silence béni l'enveloppa de nouveau. Où en était-elle ? Ah, oui…

Le jardin.

Elle s'installa contre ses oreillers et, dès qu'elle ferma les yeux, le jardin s'anima de nouveau dans son esprit. Le grand homme au regard sombre se trouvait là aussi. Elle se souvenait toujours de cet homme parce qu'il lui procurait un sentiment de paix. De sécurité. De bonheur. Cet homme était-il son père ? Non, son sentiment pour cet homme était tout autre. Mais… de qui s'agissait-il ?

Chaque fois qu'elle faisait ce rêve, elle se sentait remplie d'un intense sentiment de soulagement, comme si elle avait voyagé longtemps et arrivait enfin à destination.

Au-dehors, le passage des éboueurs troubla la sérénité matinale et elle se boucha les oreilles en réprimant un cri d'impatience. Pourquoi ne parvenait-elle pas à cerner ce rêve furtif ? Ce devait être une pièce essentielle du mystère de sa véritable identité.

Elle était sur le point de renoncer, de rejeter les couvertures pour aller prendre une douche, quand l'image de l'homme se matérialisa dans le jardin à côté d'elle. Elle appuya ses mains sur ses yeux et elle s'aperçut qu'il tenait sa main. Oui, c'était cela : il tenait sa main et glissait une bague à son doigt !

Une bague ?

Une joie violente l'envahit tandis qu'elle regardait les deux mains, la sienne et celle de… ? Son mari ? Qui d'autre ? Elle s'efforça de se souvenir, mais comme si elle avait eu une image floue devant les yeux, elle ne percevait aucun détail.

Pourtant, les sentiments étaient soudain très vifs. Presque palpables.

Un amour. Un amour profond et sans limite. Elle le sentait à présent. Cet homme était son double, son compagnon, la partie qui manquait dans son cœur. Il lui manquait à tel point que son corps lui faisait mal.

Repliant ses jambes sous son menton, elle se roula en position fœtale, luttant pour se souvenir.

Souviens-toi ! Souviens-toi ! Souviens-toi, je t'en prie !

Les derniers vestiges de son rêve commencèrent à se dissiper. Comme un mauvais signal radio, tout s'éteignit. Mais avant que l'image ne disparût complètement, elle devina qu'ils n'étaient pas seuls dans le jardin. Des personnes étaient rassemblées autour d'elle et du grand homme. De nombreuses personnes les entouraient de chaleur. De bonheur et d'amour.

Comme Liza l'avait ardemment désiré, le jour de son mariage fut l'un des plus beaux jours de l'été californien. Doux et sans nuages, avec une faible brise marine. La cour luxuriante de l'Hacienda del Alegria se transforma en un havre de paix, magnifiquement décoré et prêt à accueillir les futurs mariés.

Une harpiste prit place à gauche de la première rangée de chaises et, au moment où ses doigts commencèrent à danser sur les cordes, les familles de Nick et de Liza entrèrent dans le jardin. Conduits à leur place par deux jeunes cousins de Nick, l'assistance compta bientôt une cinquantaine de parents et autant d'amis. L'excitation était à son comble. Les chuchotements s'arrêtèrent un instant lorsque Meredith entra au bras de Joe et, dès qu'ils eurent pris place au premier rang, le murmure reprit de plus belle.

Annie avait l'impression de flotter au-dessus de cette magnifique cérémonie et non d'être assise parmi les amis de la mariée, à côté de Wyatt. Le cœur battant, la tête vrombissante, l'estomac agité, elle s'accrocha à la main de Wyatt jusqu'à ce que ses articulations fussent devenues blanches.

Wyatt la dévisagea avec inquiétude, mais Annie ne put que lui retourner un faible sourire. Elle regarda ses enfants et elle les remercia silencieusement de se montrer, pour une fois, aussi bien élevés. Elle se sentait tout à fait incapable de les réprimander s'ils devenaient incontrôlables à cet instant.

Elle prit une profonde inspiration, dans l'espoir de se ressaisir. C'était si étrange... Un peu comme si elle vivait une expérience en dehors de son corps. Comme elle le redoutait, une profonde terreur s'était emparée d'elle la veille au soir, quand Wyatt lui avait avoué son amour profond et éternel.

Avec cet aveu, il les avait conduits à une croisée des chemins. Elle allait désormais devoir choisir entre lui et sa famille. Lui et Keyhole.

Quelle que soit la route qu'elle choisirait, elle allait devoir affronter une nouvelle rupture, et elle ne savait tout simplement pas si elle avait la force de supporter une autre perte. Elle n'avait véritablement recommencé à vivre qu'au cours des deux dernières années. Les garçons exigeaient moins de temps, le magasin était en plein essor et elle avait dépassé son deuil pour entrer dans une existence un peu morne mais néanmoins paisible.

Malgré tous ses efforts pour reprendre son calme, plus elle imaginait son avenir et plus elle paniquait. C'était un sentiment terrible, et elle était absolument incapable de le contrôler.

Dominant ses peurs et ses angoisses, elle regarda Nick et Jackson, son garçon d'honneur, s'avancer sous la tonnelle drapée de tulle.

Quelques instants plus tard, les demoiselles d'honneur précédées de petites filles arrivèrent dans l'allée. Elles étaient suivies par un adorable garçonnet d'environ trois ans, qui portait les alliances posées sur un coussin en forme de cœur.

La harpiste entama la marche nuptiale et toute l'assemblée, véritable marée de visages épanouis, se leva. Comme mue par une force vitale qui sembla l'animer à cet instant, Annie se sentit bondir sur ses pieds. La seule chose qui la faisait tenir debout était la poigne désespérée avec laquelle elle s'accrochait au bras de Wyatt.

— Tu te sens bien ? demanda-t-il à voix basse.

— Mmm…

— Ça te rappelle trop de mauvais souvenirs ?

— Non, ce n'est pas ça. Je vais bien. Je me sens juste un peu… étourdie. Le décalage horaire.

— Ah…

De toute évidence, il n'en croyait pas un mot.

Image même de la sérénité, Liza s'avança dans l'allée au bras de son père. Annie lui envia sa force, son calme, cette confiance en sa famille et en son destin.

Pourquoi les choses ne pouvaient-elles être aussi simples pour elle et Wyatt ? Pourquoi la vie se montrait-elle toujours aussi difficile ? Les larmes menacèrent de couler et elle lutta pour respirer. Parfois, il lui semblait qu'elle ne faisait que se battre contre des moulins à vent.

Mais à présent, elle était fatiguée de lutter. Fatiguée de souffrir. Fatiguée de se sacrifier.

Elle fouilla dans son sac, sortit un mouchoir, et elle se joignit aux autres personnes qui s'essuyaient les yeux et se mouchaient discrètement. Chacun pour des raisons bien différentes.

Annie ne s'était pas sentie aussi malheureuse depuis son propre mariage.

La musique divine de la harpe s'arrêta et Liza, telle une princesse tout droit sortie d'un conte de Grimm, déposa un tendre baiser sur la joue de son père avant de se tourner vers son prince. Le regard éperdu d'amour l'un pour l'autre, Nick et Liza s'avancèrent ensemble vers l'autel.

Au milieu des bruissements et des murmures, l'assemblée s'assit de nouveau.

Annie chercha d'autres mouchoirs dans son sac mais ne trouva qu'un emballage vide, un ticket de caisse et des papiers de chewing-gums. Les traces de mascara sur ses paupières s'accordaient à ses cheveux indisciplinés, et s'ajoutaient à l'expression paniquée de biche aux abois qu'elle était certaine d'afficher en cet instant.

Heureusement, sa voisine, qui se présenta comme étant Elizabeth, épouse de Jason Coltons, pleurait elle aussi et lui donna un mouchoir. Leur fils de neuf mois tendit la main pour saisir la dentelle, mais sans réussir, et il commença à pleurnicher. Son père le prit sur les genoux et le bébé se tut immédiatement.

— Gardez-le, murmura la femme, j'ai l'impression que vous allez en avoir besoin.

Annie hocha la tête et, se sentant profondément stupide mais incapable de contrôler ses émotions, elle tapota ses yeux, renifla et se moucha pendant le discours de bienvenue du prêtre. Les Coltons à sa droite et sa gauche lui lancèrent des sourires de sympathie et elle les leur rendit du mieux qu'elle put, les lèvres tremblantes. Heureusement, personne ne se doutait qu'elle avait le cœur brisé.

Le moment venu, Nick fit un clin d'œil au petit porteur des alliances, qui défit avec difficulté le ruban qui retenait l'anneau de Liza. Lorsqu'il réussit enfin, il resta figé entre les deux époux, les yeux levés, absorbé par la solennité du moment, tandis que Nick glissait le petit cercle d'or au doigt de la mariée.

Ni Nick ni Liza ne semblaient s'être aperçus que le petit garçon n'avait pas bougé.

La mélodieuse voix de baryton de Nick résonna tandis qu'il prononçait les vœux qu'il avait préparés à l'intention de Liza.

— Moi, Nick Hathaway, je te prends, Liza Coltons, pour épouse et compagne. Je promets devant Dieu et cette assemblée d'être un époux et un ami fidèle. Je te réconforterai dans la maladie et me réjouirai dans la santé. Je partagerai tes joies et tes succès et je te soutiendrai dans la peine.

Les tempes battantes, Annie baissa la tête et regarda les larmes tomber une à une sur son sac et s'écraser sur sa jupe de soie. Wyatt serra sa main, mais elle était trop faible pour lui répondre.

— Je souhaite…, commença Nick avant de s'interrompre pour prendre une grande bouffée d'oxygène, comme s'il n'arrivait pas à croire que ce moment était enfin arrivé.

L'amour profond qu'il éprouvait pour Liza était visible dans ses yeux, même à distance. Il reprit :

— Je souhaite que notre union permette à chacun de s'épanouir au mieux. Je t'aiderai et t'encouragerai à atteindre les buts que tu te fixeras. Je m'engage auprès de toi comme un compagnon loyal. Tu auras ta place dans mon cœur aussi longtemps que nous vivrons. Je t'aime, Liza.

A l'exception d'un reniflement, dont Annie était responsable, l'assemblée était silencieuse.

Après avoir aidé le petit porteur d'alliances, qui n'avait pas bougé d'un pouce, à détacher l'anneau de Nick, Liza regarda l'homme de sa vie et, d'une voix forte et claire, emplie de vitalité et de bonheur, elle déclara :

— Moi, Liza Coltons, je me donne à toi, Nick Hathaway, devant Dieu et cette assemblée, pour être ton épouse et je te reçois pour mari. Je te promets tendresse et amour. Je souhaite me comporter toujours avec sensibilité et compréhension, et prendre les décisions qui serviront au mieux tes intérêts. Je promets de t'être toujours fidèle et de me montrer loyale, quelles que soient les circonstances que nous devrons affronter.

Annie réprima un sanglot.

— Je souhaite vivre tes rêves, être ta meilleure amie, ta fidèle compagne, te réconforter dans la maladie et me réjouir dans la santé. Je partagerai tes joies et tes peines. Je me confie à toi seul et te fais confiance, et je te garderai dans mon cœur aussi longtemps que nous vivrons. Je t'aime, Nick.

Le prêtre hocha la tête, satisfait que les vœux eussent été prononcés et les anneaux échangés.

— Par les pouvoirs qui me sont conférés dans l'Etat de Californie, je vous déclare mari et femme. Vous pouvez embrasser la mariée.

Comme Nick la prenait dans ses bras, le petit porteur d'alliances disparut dans les plis de satin et de dentelle où il resta enfoui, au milieu des rires, jusqu'à ce que le baiser ardent se fût achevé.

12.

La réception se déroula dans la grande salle qui, plus que jamais, se montra à la hauteur de son nom, dans tous les sens du terme. La haute cheminée de pierre qui se dressait au centre de la pièce, les confortables canapés de cuir et l'ameublement de style colonial offraient aux invités un cadre chaleureux. En cette journée, des tables dressées avec somptuosité occupaient le moindre espace de la grande salle et de l'immense patio qui s'étendait au-delà des portes vitrées béantes.

Annie regarda ses garçons rejoindre en courant des enfants qui se poursuivaient parmi la foule. En d'autres circonstances, elle leur aurait enjoint de bien se tenir. Mais elle ne se sentait plus la moindre énergie. Ni force d'âme. Ni volonté pour affronter le reste de cette folle journée.

De fabuleuses compositions florales, des sculptures de glace, des fontaines de champagne et d'immenses buffets chargés de toutes sortes de mets délicats agrémentaient la grande salle et le patio. Déjà, plusieurs centaines d'invités étaient arrivés après la cérémonie, et un nombre plus important encore était attendu pour la soirée.

Nick et Liza avaient reçu les félicitations d'usage de chacun et ils évoluaient à présent sur la piste de danse, subjugués par l'immensité de leur amour. Dans un coin, un orchestre jouait les rythmes entraînants de l'époque des big bands et, déjà, la fête battait son plein. Serveurs et serveuses déambulaient parmi les invités, proposant des flûtes de champagne aux adultes et du cidre pétillant aux enfants. Des plateaux de mets fins destinés à flatter les palais les plus délicats passaient entre les invités, tandis que ceux dont l'appétit était plus aiguisé se dirigeaient vers le buffet.

Le bruit courait que la réception durerait toute la nuit, ce qui s'inscrivait parfaitement dans la tradition des fêtes données à l'Hacienda del Alegria.

Annie, quant à elle, pensait pouvoir seulement tenir encore une heure ou deux, tant était grande la tension qui l'habitait. Elle avait besoin de s'isoler. Elle ne pourrait se sentir ne fût-ce qu'un tout petit peu mieux qu'en étant seule pour réfléchir et trouver les réponses relatives à son avenir.

Pour l'instant, cependant, c'était impossible.

Plus d'un invité avait envie de converser avec la cavalière de Wyatt, et elle était bien obligée de faire bon visage, de s'enthousiasmer sur cette magnifique journée, de commenter la météo si clémente à cette occasion.

Alors qu'elle aurait voulu hurler.

Pourtant, quand elle croisa le regard de Wyatt, elle comprit qu'il compatissait. La préoccupation se lisait sur son visage et il l'avait déjà sauvée de plus d'une conversation sans fin. Mais elle ne voulait pas de sa pitié. C'étaient des réponses qu'elle attendait ! Elle voulait savoir ce qu'elle était censée faire de l'amour éternel de Wyatt, alors qu'il vivait à l'autre bout de cet immense territoire.

Une séance avec un psychologue lui aurait fait du bien, mais pour l'instant, elle se contenterait d'un comprimé d'aspirine. S'excusant poliment, elle se précipita vers les toilettes pour dames les plus proches.

— Alors ? On s'amuse ?

Jackson leva les yeux d'un plat de hors-d'œuvre et regarda Meredith se glisser à son côté, un sourire hypocrite sur les lèvres. Elle tenait deux flûtes de champagne, ce qui expliquait probablement, songea Jackson, le pourpre de ses joues.

— C'est le mariage de ma sœur. Bien sûr que je m'amuse.

Il lui jeta un regard suspicieux.

— Pourquoi cette question ?

— Je voulais seulement m'assurer que tout allait bien. Et puis… prendre un instant pour enterrer la hache de guerre entre nous.

Enterrer la hache de guerre ou me la planter dans le dos ? s'interrogea Jackson avec amertume.

— Pourquoi ? répéta-t-il.

— Parce que, répondit-elle en faisant la moue, je déteste la rancune. Nous formons d'habitude une famille si unie…

— Pour ma part, Meredith, je préfère t'ignorer.

Elle souleva une épaule délicate.

— Comme tu voudras, mais j'aimerais tellement que nous restions bons amis. Comme nous l'étions par le passé. Quand tu étais un petit garçon… Tiens.

Elle lui tendit l'une des flûtes qu'elle tenait à la main.

Jackson la regarda fixement.

— Allons, susurra-t-elle. Accepte ce champagne et bois avec moi. A l'amitié. A la famille.

Jackson serra les dents et se força à compter mentalement jusqu'à dix. Il pouvait difficilement refuser alors qu'ils étaient entourés de tant de membres de la famille. En outre, faire un scandale le jour du mariage de Liza ne serait pas agréable pour sa sœur. Se détestant en lui-même de céder aux avances de cette vipère, Jackson accepta le verre mais resta de marbre.

Meredith fit la moue.

— Tu me pardonnes ?

— Pour quoi ?

— Pour notre petite dispute de l'autre matin. J'étais de mauvaise humeur et je suis désolée. Je ne sais vraiment pas ce qui m'arrive en ce moment. Je crois que j'ai très peur de blesser Joe.

Elle pinça ses lèvres roses entre les dents et se concentra sur son verre un instant.

— Je ferais n'importe quoi pour le protéger. Et cela inclut une chose : m'assurer qu'il ne découvre jamais que notre fils est en réalité…

Elle releva les paupières et regarda par-dessus le bord de son verre, jusqu'à ce que son regard eût repéré Graham dans la foule.

— … le sien.

Jackson soupira avec agacement.

— Ceci est plutôt contradictoire avec ton chantage, non ?

— Tu as raison, bien sûr.

Meredith hocha la tête tout en s'efforçant d'afficher une expression contrite.

— Je suis certaine qu'il existe une meilleure façon de régler tout ceci, dit-elle en levant son verre. Quoi qu'il en soit, je suis désolée. Pour tout. J'ai fait une terrible erreur et je passerai le reste de ma vie à en subir les conséquences. Je ne peux qu'implorer ton pardon.

Jackson détourna les yeux et vit sa sœur évoluer sur la piste de danse comme sur un nuage. La dernière chose dont il avait envie était bien d'accorder son pardon à cette femme. Mais c'était probablement ce qu'il y avait à faire de plus judicieux pour l'instant. Cette journée, plus que toute autre, était une journée d'union entre les familles. Persuadé qu'il n'avait pas d'autre choix, il hocha brièvement la tête.

Meredith porta la flûte à ses lèvres.

— Je te remercie, murmura-t-elle avant de boire une gorgée. A l'amitié et aux nouveaux départs.

Jackson l'imita sans quitter des yeux Liza et Nick enlacés.

— Buvons donc aux nouveaux départs.

Quand Annie revint dans la salle, elle trouva Wyatt en grande conversation avec Lucy et Rand. Hésitant à les interrompre, elle posa un sourire radieux sur ses lèvres et resta à l'écart pour ne pas les déranger, tout en s'approchant suffisamment pour avoir l'impression de faire partie de leur groupe. Elle profita de cet instant de solitude pour essayer, une fois encore, de comprendre ses sentiments confus.

Ce devait être le mariage…

Les mariages suscitaient toujours de très fortes émotions chez ceux qui y assistaient. Annie n'échappait pas à la règle. Elle était peut-être même encore plus vulnérable, étant donné sa propre infortune en la matière. Pourtant, cela ne suffisait pas à expliquer ses nausées, ses vertiges et ses difficultés à respirer.

Dans les toilettes pour dames, elle avait fait couler de l'eau froide sur ses poignets, puis elle avait pris le temps de se raisonner, mais sans succès. Elle se sentait plus désespérée que jamais. Elle avait passé une nuit agitée, se retournant sans cesse tandis qu'elle envisageait toutes les issues qui s'offraient à elle.

Elle devinait que Wyatt était sur le point de la demander en mariage. Une fois qu'il l'aurait fait, elle ne pourrait lui donner que deux réponses.

Soit c'était oui… et elle arrachait les enfants à sa mère, vendait le magasin qui appartenait à sa famille depuis des générations, suivait Wyatt en ville et regretterait Keyhole jusqu'à la fin de ses jours. Soit c'était non… et Wyatt lui manquerait pour le reste de ses jours.

Incapable de choisir, elle avait envie de s'étendre. Et de rester allongée jusqu'au moment où elle se réveillerait de ce cauchemar.

— Excusez-moi…

Annie leva les yeux et vit Jackson Coltons s'avancer vers elle d'une démarche peu assurée. Sur le coup, elle crut qu'il s'efforçait de faire sourire, avec ses grimaces, la fille mélancolique isolée dans son coin. Il tendit la main devant son visage et la regarda intensément pendant un long moment avant de la lui montrer.

— Pouvez-vous me dire si ma main ne vous paraît pas gigantesque ?

Il leva les yeux vers Annie. La préoccupation se lisait derrière son sourire de biais.

Annie lui retourna sa grimace ahurie.

— Est-ce que c'est une question piège ?

Jackson lui mit la main juste sous le nez.

— Je vous en prie, chère amie ! Regardez ma main. Mes doigts ressemblent à des saucissons. Mes paumes sont comme…

Il détailla attentivement la paume de sa main.

— … On dirait des jambons. Fichtre ! Regardez ça… Ils sont si loin. Et si énormes ! C'est comme si mes mains avaient une vie à elles.

Il devint alors pensif.

— Je n'avais jamais remarqué ça auparavant. Nos mains vivent leur vie.

Lentement, son regard se posa sur le visage d'Annie.

— Mes mains ont disparu ! Il faut que je les suive, maintenant.

Il fit une pause, avant de poursuivre :

— Vous êtes vraiment très belle, vous savez ? Très, très belle. Comme un ange.

— Euh, merci..., balbutia Annie en le regardant avec incertitude.

Elle ne connaissait pas très bien Jackson, mais elle sentait que quelque chose n'allait pas. La veille, il incarnait la séduction et le succès, et à présent... C'était comme s'il souffrait d'un mal subit.

Jackson s'approcha en titubant et, s'appuyant lourdement sur l'épaule d'Annie, il enfouit son visage dans ses cheveux. Tel un chien à la recherche d'un os, il renifla et émit des grognements de plaisir, bruyants et gutturaux.

— Vos cheveux sont magnifiques. Vraiment, vraiment magnifiques. Ils ont l'odeur... d'une prairie.

— Wyatt ?

Malgré ses réticences à interrompre sa conversation avec Rand et Lucy, aussi importante fût-elle, Annie jugea à cet instant que la situation l'exigeait.

Parlant toujours à voix basse, Wyatt se tourna et cligna des yeux comme s'il se souvenait soudain de la présence d'Annie.

— Hé, mon cœur. Justement, je parlais de toi.

Il fronça des sourcils en découvrant l'attitude de Jackson.

— En bien, j'espère, répondit Annie d'un ton qu'elle voulait enjoué.

Elle donna une petite tape à Jackson et essaya de le repousser. La main de Jackson descendit le long de son corps pour se poser sur sa hanche. Elle lui assena une claque sur les mains pour lui faire lâcher prise.

— Jackson, Jackson. Je crois que j'ai retrouvé vos mains.

Les yeux écarquillés, elle lança un regard désespéré à Wyatt. *Je crois qu'il est soûl,* articula-t-elle en silence. Elle leva un sourcil plein d'inquiétude.

— Vous avez retrouvé mes mains ? demanda Jackson d'une voix trouble.

— Oui, et elles ne sont pas très sages. Vous devriez peut-être les ranger.

— Peux pas…

— Pourquoi ?

— Elles sont trop grandes pour mes poches. Elles n'arrêtent pas de sortir. Elles ne sont pas sages du tout. Vous voyez.

Jackson caressait à présent la poitrine d'Annie.

Wyatt plissa les yeux, Annie hocha la tête imperceptiblement. Jackson avait totalement disjoncté. Il était inutile d'essayer de raisonner normalement avec lui.

Rand et Lucy échangèrent des regards étonnés entre eux, puis avec Wyatt qui ne semblait pas du tout amusé.

— Jackson, mon cher. Pourquoi ne montrez-vous pas vos mains à Wyatt ?

— J'adore quand elle m'appelle « mon cher », gloussa Jackson. N'est-elle pas magnifique ? Ses cheveux sont un véritable brasier. Un brasier. Allez, poupée, enflamme-moi.

— Jackson, Wyatt voudrait voir vos mains.

Annie serra les dents. Visiblement, Wyatt avait plutôt envie de les lui trancher.

— Pourquoi ? Il est médecin ?

— Je suis avocat, cousin.

Wyatt s'avança d'un pas.

— Très bien, moi aussi ! J'attaque en justice ! J'attaque les mains des gens. J'ai des mains défectueuses. Regarde ça… Elles sont énormes. On dirait des dindes de Noël.

Jackson fronça les sourcils.

— Tu comprends c'que j'dis ?

— Jackson ?

— Ouais, docteur Wyatt ?

— Combien de verres as-tu bu ?

— Un p'tit verre de champagne. C'est tout. J'crois bien…

Fort heureusement, personne ne semblait accorder la moindre attention aux propos incohérents de Wyatt. Personne à l'exception de Meredith.

— Tiens !

Elle s'approcha, et sa voix douce modulée prit soudain le contrôle du petit groupe. Un grand sourire aux lèvres, le regard virevoltant de l'un à l'autre, elle ignora Jackson chaque fois qu'il essayait de se placer devant elle.

— Eh bien ! Je vois que notre petit groupe de Washington fait bande à part. Alors, on complote ?

— Nous nous tenons compagnie, Meredith. Tout simplement, annonça Wyatt avec un sourire sarcastique.

— Je n'en doute pas.

Meredith inclina la tête et appuya un ongle vermillon sur son menton.

— Alors, de quoi parlions-nous ?

— De choses et d'autres.

— Et de mes mains phénoménales, intervint Jackson.

Il s'écarta d'Annie et tituba vers Meredith.

— Regarde-les. Elles sont immenses. Et si lointaines ! Je pourrais aller chercher q'que chose à manger sur la table là-bas, si tu veux. J'ai même pas à me déplacer. Mes mains iront pour moi.

Annie jeta un regard furtif à Wyatt, puis à Rand et Lucy.

— Tu n'as pas l'air très bien, mon petit.

Meredith posa une main délicate sur le front brûlant de Jackson.

— Peut-être devrais-tu aller te coucher ?

— Tu aimerais bien, hein ?

Jackson enfouit son visage dans le cou de Meredith.

— Ma tata Meredith ! Tu veux faire dodo avec ton meilleur ami ?

Il se recula, dévisagea Meredith, puis ses yeux plongèrent dans son décolleté.

Tout à coup, Wyatt s'approcha de son cousin, le prit par le bras et se tourna vers la sortie.

— Et si nous allions prendre l'air ? Ça te fera du bien.

Meredith l'arrêta en posant une main ferme sur son bras.

— Non, Wyatt, tu as une invitée. Je suis l'hôtesse. Je me charge de Jackson.

Jackson battit l'air et repoussa brusquement Wyatt.

— Je n'ai besoin de l'aide de personne ! Il faut que je retrouve mes mains maintenant. Celles qui ont la bonne taille. Aussi, si vous voulez bien m'excuser, j'vais aller dans ma chambre pour les chercher.

Meredith adressa un bref signe de tête au petit groupe.

— Je vais chercher Joe et m'assurer que Jackson regagne sa chambre sans encombre.

Minaudant tout en s'éloignant, Meredith suivit Jackson hors de la grande salle et regagna la maison.

— Qu'est-ce que tout cela signifie ? demanda Rand en passant sa main sur son menton.

Lucy frémit de dégoût.

— Visiblement, elle cherche une excuse pour échapper à la fête. Son neveu éméché lui en offre une.

Wyatt secoua la tête.

— Non, cela ne ressemble pas à Jackson.

— Cela peut arriver à n'importe qui, suggéra Annie pour prendre sa défense. C'est le mariage de sa sœur. Il se sent peut-être un peu abandonné ?

— Ses mains l'étaient certainement, en tout cas, constata Wyatt en échangeant un regard inquiet avec ses amis.

— Je monterai le voir un peu plus tard, quand il se sera reposé.

A l'exception des quelques employés qui s'affairaient entre la cuisine et la réception, la maison était vide. Avec mille précautions pour ne pas attirer l'attention, Patsy suivit Jackson à bonne distance. Après plusieurs tentatives infructueuses, celui-ci trouva enfin le couloir qui conduisait à sa chambre, et Patsy fut soulagée de constater qu'ils étaient seuls. Jackson ricocha contre les murs comme une boule de billard, avant de trouver finalement sa porte et d'entrer en trébuchant.

Le temps était compté. Patsy se précipita vers l'horloge à balancier qui ornait l'extrémité du couloir. Après avoir jeté un coup d'œil par-dessus son épaule pour s'assurer qu'elle était toujours seule, elle ouvrit le panneau qui donnait accès au lourd mécanisme de l'horloge et plongea la main à l'intérieur. Elle en sortit un petit sac noir, relança le balancier et se hâta de rejoindre la chambre de Jackson.

Lorsqu'elle entra, celui-ci sortait de sa salle de bains, en sous-vêtements. Il s'appuya contre l'encadrement de la porte, posa ses mains sur ses hanches et, l'esprit manifestement embrumé, la regarda avec étonnement.

— Meredith ?

Doucement, Patsy referma la porte derrière elle et donna un tour de clé.

Jackson était bâti exactement comme elle aimait les hommes. Tout à la fois puissant, mince et musclé. Il était bien plus à son goût que Graham, son père, dont le corps était marqué par le poids des ans. Et bien qu'elle fût réticente à l'admettre, étant donné la haine qu'elle lui vouait, la personnalité de Jackson se révélait excitante. Quand il était en pleine possession de ses moyens, sa prestance autoritaire la faisait frémir des pieds à la tête.

Elle se ressaisit, jugeant que le moment était mal choisi pour se laisser emporter par son imagination.

Désirable ou pas, ce garçon devait disparaître.

— Oh, ma chère tante ! Te voilà... Tu viens me border dans mon lit ?

Ses pupilles étaient complètement dilatées, et il souriait béatement.

— Mais bien sûr ! C'est l'heure du dodo de Jackson, susurra-t-elle en agrippant l'acier froid du revolver dissimulé dans son sac.

— Tu as apporté ton pyjama ? demanda-t-il en montrant du doigt son petit sac.

— Non, non !

Elle éclata de rire et déposa son sac sur la commode.

— Allons, viens te mettre au lit, maintenant.

Aussi naturellement que possible, elle s'approcha du lit et replia la couette. Plus vite Jackson serait inconscient, plus vite elle pourrait en finir.

— C'est ce que j'aime en toi…, commença Jackson.

Il s'écarta de la porte, réussit à traverser la pièce en titubant et vint s'affaler sur son lit.

— Toujours prête à te mettre au lit. Allez, viens faire le grand plongeon.

Il tendit la main, la saisit par le poignet et la tira brutalement.

Surprise par cette réaction inattendue, Patsy s'effondra à côté de lui, battit l'air et fit des gestes désespérés pour se relever. Mais même éméché, Jackson était bien plus fort. Avant de comprendre ce qui lui arrivait, Patsy se retrouva prisonnière sous lui.

— Jackson ! Laisse-moi partir immédiatement !

Il l'ignora et, du genou, la força à écarter les jambes.

— Allons, ma chère tante… Tu sais ce que je veux. Nous sommes les meilleurs amis, tu n'as pas oublié ? Tu ne veux pas me donner un petit baiser ? Comme tu le faisais quand j'étais petit…

Patsy se détesta pour la soudaine pulsion de désir sexuel qu'elle éprouva à son contact. Ses contorsions pour se libérer étaient vaines et, pendant une fraction de seconde, elle s'autorisa à oublier la raison de sa présence en cet endroit.

— Mmm… Ma jolie…

Il lui mordilla le lobe de l'oreille.

— Enterrons la hache de guerre maintenant, d'accord ?

Elle perçut la chaleur de son souffle dans son cou, elle entendit ses paroles provocantes, elle sentit son corps dur et puissant. Et elle avait envie de lui. Quelle absurdité ! Elle était suffisamment plus âgée pour être… Eh bien, sa très grande sœur ! Ce qui ne voulait pas dire qu'elle était bonne pour le rebut. Après tout, elle avait dépensé une véritable petite fortune pour entretenir son corps.

Mais tout de même… Elle n'avait pas le temps de jouer. Elle devait d'abord piéger cet imbécile pour le faire accuser de meurtre, et ensuite s'esquiver le plus vite possible.

— Tante Meredith…

Il immobilisa ses jambes sous les siennes et glissa ses mains entre leurs corps.

— Tu as vu mes mains ? Elles sont passées à l'action !

Meredith suffoqua. En effet, ses mains se plaisaient à se promener toutes seules.

— Jackson !

— Elles sont grandes, n'est-ce pas ? Et tu sais ce qu'elles disent ?

Les yeux de Jackson se révulsèrent soudain et il s'effondra de tout son poids sur Patsy.

— Jackson ?

Elle resta silencieuse et attendit, incrédule. Il avait choisi de s'endormir *maintenant* ? Elle grogna d'exaspération et essaya de le repousser, mais il était lourd comme un cheval mort. Manifestement, elle avait mal calculé la quantité de somnifère nécessaire quand elle avait préparé son champagne.

Il devait bien peser vingt à trente kilos de plus qu'elle. Réussir à s'extirper sans se décoiffer et prendre le temps de terminer son travail n'allait pas être aussi simple que cela.

— Noah et Alex ont l'air de bien s'amuser, remarqua Annie avec raideur.

Elle se promenait au bras de Wyatt dans l'un des nombreux jardins de la propriété. Elle avait ressenti le besoin de respirer un peu d'air frais, et Wyatt l'avait accompagnée.

Sous la surveillance des agents de sécurité, les jumeaux étaient occupés à décorer la limousine avec des boîtes de conserve et de la crème à raser. Ils avaient vécu une journée extraordinaire. Après une promenade à poney le matin, ils avaient englouti un énorme petit déjeuner, joué avec les chiens de Joe, assisté à leur premier mariage, et à présent, ils faisaient quelques bêtises, avec la bénédiction des adultes ! Ces vacances, loin de leur lieu de vie habituel, resteraient gravées dans leur mémoire.

— Mmm…

— Je crois qu'ils n'oublieront jamais leur promenade à poney.

Annie s'efforçait d'entretenir une conversation superficielle, loin de ses interrogations personnelles. Il lui semblait que tant qu'elle ne pensait pas à son avenir, elle arrivait à simuler la normalité.

— Mmm…

— Ni la piscine.

— Mmm…

Wyatt pensait de toute évidence à autre chose.

— Ni les extraterrestres qui les ont enlevés au milieu de la nuit dernière et les ont transformés en filles. C'était parfait, puisque j'ai toujours voulu avoir des filles.

— Excuse-moi. Tu disais quelque chose ?

— Non, rien.

Elle cueillit la fleur éclatante d'une énorme azalée et la glissa derrière son oreille.

— Tu as l'air bien pensif, Wyatt ?

Après la petite scène de Jackson, cela n'avait rien d'étonnant. Sans doute avait-il envie d'aller le voir pour s'assurer que tout allait bien.

Wyatt s'arrêta brusquement et, quittant l'allée de gravier, il conduisit Annie vers un banc de pierre installé au milieu d'un jardin de roses. D'un signe de la tête, il l'invita à s'asseoir à côté de lui. Le parfum délicat des boutons de roses embaumait l'air et ils entendaient au loin les rires, la musique et les voix de la réception.

Annie sentit son cœur se serrer en découvrant l'expression soudain grave du visage de Wyatt. Oh, non ! Elle n'était pas prête à entendre quoi que ce fût.

— Annie, j'ai beaucoup réfléchi au cours des derniers jours et ce mariage, aujourd'hui… comment dire ? … m'a permis d'ouvrir les yeux.

Elle eut soudain très froid. Puis une onde de chaleur l'envahit. Prise de vertige, elle ouvrit le premier bouton de sa veste et le reboutonna aussitôt. Quelque chose lui dit qu'à cet instant, l'état d'ébriété de Jackson ne préoccupait plus Wyatt.

Il se laissa glisser à genoux devant elle. Il prit sa main et tout à coup elle eut du mal à respirer.

— Annie, je sais que cela va te paraître soudain et incongru, mais ça ne l'est pas pour moi. J'ai l'impression d'avoir espéré cet instant toute ma vie.

— Oh, Wyatt ! articula Annie, soudain prise de panique.

Pas maintenant ! Pas ici ! aurait-elle voulu crier. Elle n'était même pas chez elle, où elle pourrait pleurer et se laisser aller auprès de ses amis et de sa famille.

Il posa un doigt sur ses lèvres.

— Chut ! Laisse-moi finir… Je regrette tellement de n'avoir pas eu l'intelligence de faire ma demande lorsque ton père est tombé malade.

Il prit une profonde inspiration et lui sourit.

— Annie, je t'aime aujourd'hui plus que jamais. Tu as grandi et tu es devenue une femme magnifique et délicieuse. Je suis fier de ce que tu as réalisé dans ta vie. Tu es une mère fantastique, une femme douée en affaires, une amie, une fille et une sœur fidèle. Tu as un talent incroyable, et avec toi, tout paraît simple. Je suis parfaitement heureux quand je suis avec toi. Tu fais ressortir le meilleur de moi-même. Avec toi, je suis plein d'énergie. Positif. Je veux croire en mon avenir. J'ai envie d'être heureux.

Doucement, il porta ses doigts à ses lèvres et les embrassa les uns après les autres, tout en pensant à ce qu'il voulait dire ensuite. Manifestement, cela lui était difficile. Face à elle, Wyatt devenait vulnérable et cela ne faisait qu'accroître sa propre peur.

— Oh, Wyatt !

— Ecoute-moi bien, murmura-t-il. J'aime tes garçons comme s'ils étaient les miens, et je sais que nos relations ne feront que s'améliorer avec le temps. Je veux veiller sur eux. Je veux leur apprendre à devenir des hommes exactement comme Joe l'a fait avec moi. Je sais par expérience que ce n'est pas la biologie qui fait le père. C'est l'amour. Et l'engagement.

La gorge serrée, Annie était incapable de prononcer un mot. Des sanglots saccadés se pressaient au bord de ses lèvres. Les larmes noyèrent ses yeux avant de couler sur ses joues. Elle avait le souffle court comme si elle venait de courir à perdre haleine. Sa tête tournait, et elle se sentait sur le point de défaillir. Son cœur battait à tout rompre, elle ne sentait plus ses membres.

Wyatt était tellement adorable ! Elle avait attendu toute sa vie d'entendre ces paroles.

Mais une fois de plus, les circonstances jouaient contre eux.

Elle laissa échapper un sanglot de douleur.

— Non…

Elle bondit sur ses pieds et rejoignit l'allée qui conduisait à la maison.

— Je ne peux pas te laisser faire ça !

Tout en écoutant la respiration paisible de Jackson qui dormait dans la pièce voisine, Patsy vérifia son maquillage et sa coiffure dans le miroir de la salle de bains. Vu la lutte qu'elle avait menée, les dégâts étaient limités. Elle retroussa les lèvres pour s'assurer qu'aucune trace de rouge ne tachait ses dents, puis, après un dernier regard approbateur, elle s'estima ravissante et prête à rejoindre la fête.

Mais avant cela, elle avait juste un dernier petit travail à effectuer.

Elle prit le sac noir qu'elle avait déposé sur la commode. Repoussant les jambes de son neveu endormi, elle s'installa confortablement sur le bord du lit, ouvrit son sac et sortit le pistolet qu'elle avait trouvé près de la falaise. Quel dommage qu'il eût fait si sombre, cette nuit-là ! Elle n'avait aperçu qu'une ombre noire.

Existait-il quelque chose de plus beau qu'un Luger automatique 9 mm ? Elle caressa le canon en acier. La vue de ce bijou qui allait lui offrir la liberté éternelle excitait Patsy tout autant que l'homme profondément endormi à côté d'elle.

Elle sourit en repensant à l'anniversaire de Joe. Pour une fête, c'était une fête ! Mais patience… Très bientôt, la situation tournerait à son avantage.

Après avoir essuyé et nettoyé le pistolet avec soin, Patsy prit doucement la main de Jackson. Comme il ne broncha pas, elle s'enhardit et referma ses doigts autour du canon et de la crosse, sans oublier de glisser son index autour de la gâchette. Enfin, satisfaite d'avoir réuni toutes les preuves dont elle avait besoin, pour l'instant du moins, elle relâcha sa main, rangea le pistolet dans le sac et, après s'être assurée que le couloir était vide, elle retourna le dissimuler dans l'horloge.

Wyatt rattrapa Annie juste avant qu'elle n'atteignît l'allée et l'attira de nouveau dans le jardin. Comme il l'avait fait tant d'années auparavant, il ignora complètement ses cris scandalisés, l'entraîna dans un bosquet et l'appuya contre le premier tronc d'arbre venu. Tout en protestant, elle se cambrait contre lui.

Un éclair de chaleur transperça le corps de Wyatt. Il inclina la tête, enfouit son visage dans son cou et remplit ses mains de ses cheveux magnifiques.

— Non ! gémit-elle en frémissant et en luttant pour échapper à son étreinte.

— Si.

Tel un homme affamé depuis plus de dix ans, Wyatt s'empara de sa bouche et dévora ses lèvres entrouvertes. Comme elle gémissait, il goûta sa lèvre inférieure, la prit entre ses dents et la mordilla doucement pour faire taire ses protestations.

Il la saisit par les épaules et l'attira contre lui pour que s'unissent chaque partie de leurs corps. Ils se complétaient aussi parfaitement aujourd'hui qu'ils se complétaient par le passé. Mieux, même. Wyatt posa ses mains sur la courbe voluptueuse de ses hanches et l'attira encore plus près de lui.

Leur baiser devint fou, quasiment frénétique. Wyatt se campa sur ses jambes et immobilisa Annie entre son corps et l'arbre, comme s'il pouvait l'empêcher de s'enfuir. Elle s'accrocha à ses bras pour ne pas tomber, et il eut le sentiment que seuls son corps et l'arbre lui permettaient de tenir debout.

— Wyatt, non… Il ne faut pas…, dit-elle en haletant. Ce sera pire ensuite.

Tout en protestant, elle lui rendait ses baisers avec tout le désir qu'il sentait grandir en lui. Le souffle court, il embrassait sa bouche, ses joues, son cou et de nouveau sa bouche. La respiration d'Annie était aussi saccadée que la sienne.

Il sentit qu'elle prenait son visage entre ses mains et qu'elle répondait à ses baisers avec l'abandon passionné de la femme épanouie qu'elle était devenue. Annie n'était plus une jeune fille, et cela excita Wyatt plus qu'il ne l'avait cru possible.

Une fois encore, comme il l'avait fait dix ans auparavant, une nuit sous les arbres à côté de la bibliothèque, il se perdit en elle et il sentit que leurs âmes se mêlaient. Il ne vivrait plus jamais sans Annie. Il avait vécu trop longtemps comme une moitié d'être humain. Avec elle, il était entier. Il ne pouvait pas, il ne *voulait* pas continuer sans elle.

— Ecoute-moi…, supplia-t-il tout contre ses lèvres.

Il pencha la tête pour savourer un autre baiser qui lui fit presque perdre tout contrôle de lui-même.

— Je te demande seulement de m'écouter…

Ses paroles semblèrent la ramener à la réalité, et elle se détendit. Il sentit le goût salé de ses larmes tandis qu'elle commençait à pleurer.

Elle éloigna alors sa bouche de la sienne.

— Non, Wyatt… Il faut que tu me laisses partir.

Il sentit un immense désespoir au plus profond de lui-même.

— Tu me m'as pas écouté.

Tandis qu'elle se débattait, il saisit son poignet, comme s'il craignait qu'elle ne le frappe.

— Je ne peux pas.

— Pourquoi ?

— J'ai peur.

— De quoi ?

— Que tu…

Elle laissa échapper un sanglot et détourna le regard.

— Que tu me demandes de t'épouser.

Il se figea. Ce n'était pas la réponse qu'il avait entendue dans ses rêves pendant toutes ces années. Dans ses rêves, Annie tombait dans ses bras, éperdue de bonheur. Les larmes qu'elle versait alors étaient des larmes de joie et non d'angoisse.

Elle fuyait une fois de plus et, soudain, il éprouva la même terreur qu'il lisait dans ses yeux.

— Non, murmura-t-il en resserrant son étreinte sur ses poignets. Non, tu ne peux pas me faire ça. Pas toi. Pas à nous.

Elle ferma les yeux.

— Ça suffit, Wyatt. Pourquoi a-t-il fallu que tu reviennes à Keyhole et que tu bouleverses ainsi ma vie ?

— Mais de quoi parles-tu ?

— Recommencer notre relation dans ces conditions n'a aucun sens ! C'est voué à l'échec. Je vis à Keyhole, dans le Wyoming, bon sang ! Tu vis à Washington ! Les relations à distance ne marchent pas. Nous l'avons déjà prouvé.

Elle devenait presque hystérique.

— Annie, je t'en prie, nous pouvons réussir.

— Non !

— Mais si !

Il la serra de nouveau contre son corps.

— Non !

Cette fois-ci, elle parla d'un ton sec.

Désespéré de lui faire entendre raison, Wyatt écrasa une fois encore sa bouche contre la sienne, mais loin de lui apporter un quelconque réconfort, ce baiser lui fit mal. Ce fut comme s'il l'embrassait pour lui dire au revoir. Et pour de bon, cette fois.

13.

Ce ne fut que lorsque l'avion eut atteint son altitude de croisière que les jumeaux s'arrêtèrent enfin, miraculeusement, de pleurer. Annie était elle-même profondément bouleversée, mais elle fit de son mieux pour être forte et paraître gaie. Pourtant, en son for intérieur, elle se décomposait lamentablement et elle en avait conscience. Elle regarda les visages tristes de Noah et Alex. Si leurs larmes avaient séché, leur chagrin était toujours profond.

— Maman, tu avais promis que Wyatt reviendrait avec nous à la maison ! maugréa Noah.

Comme n'importe quel bambin de cinq ans, il n'abandonnait pas facilement.

— Wyatt a dit qu'il jouerait encore avec nous au monstre de l'espace, reprit-il.

— Et qu'il nous lirait des histoires, renchérit Alex qui n'avait cessé de bouder depuis le décollage.

— Je vous l'ai déjà expliqué plus de cent fois. Parfois, les adultes changent d'avis. Ils s'aperçoivent qu'ils ont d'autres engagements plus importants, et ces engagements doivent passer en premier.

— Le nouveau papa de Sean Mercury n'avait pas d'autres *embêtements*. Il s'est marié avec la maman de Sean.

— Et maintenant, son nouveau papa vit dans la maison de Sean. Un jour, il va même adopter Sean et peut-être Sean aura un nouveau nom. Sa maman a déjà un nouveau nom.

— Parce qu'ils se sont embrassés et tout ça, rappela Noah.

Annie ferma les yeux alors que le souvenir du dernier baiser de Wyatt menaçait de la précipiter dans un gouffre de démence. Sans lui laisser la moindre chance de renouveler sa demander en mariage, et ainsi de la troubler davantage, elle s'était arrachée à son étreinte et s'était précipitée vers la maison. Une fois dans sa suite, sans perdre une minute, elle avait bouclé ses valises, appelé un taxi, récupéré ses garçons et pris congé précipitamment de la famille Coltons.

A son grand soulagement, ils avaient tous cru, devant son regard affolé, les larmes sur ses joues et son nez rouge, qu'elle pleurait sur son propre mariage et que la cérémonie lui avait été trop pénible. Ils s'étaient montrés plus qu'obligeants et parfaitement compréhensifs.

Wyatt, quant à lui, n'avait pas daigné venir lui dire au revoir. Ni essayé de lui faire entendre raison. Il avait fait tout le contraire, en somme. Tandis qu'elle pressait les enfants vers le taxi qui les attendait, elle l'avait aperçu en train de prendre un verre avec Rand et Lucy à la réception. Il lui avait jeté un regard froid qui lui disait d'aller au diable, avant de reporter son attention vers Rand.

La vie continuait, qu'elle le voulût ou non !

Alors que les larmes refluaient, Annie appuya son visage contre la fraîcheur du hublot, et elle regarda les chaînes de montagnes qui défilaient lentement.

— Maman ?

— Oui ?

— Est-ce que tu pleures encore ?

L'air interrogateur, Alex scruta son visage.

Annie frotta ses yeux avec ses poings.

— Non, mon cœur. Non, tout va bien. Je suis juste un peu triste, en ce moment.

— Moi, j'aime vraiment beaucoup Wyatt, maman. J'aimerais bien que tu l'aimes aussi.

— Je l'aime aussi, mon poussin.

A peine avait-elle formulé cet aveu que la respiration lui manqua.

— Maman ?

Noah tendit le cou derrière son frère pour mieux voir.

Annie luttait pour respirer.

— Oui, lâcha-t-elle dans un souffle.

— Tu vas bien ?

— Ça… ça va aller.

Avec des gestes désordonnés, elle déboutonna son col puis fouilla dans la pochette attachée au siège, à la recherche d'un sac pour le mal de l'air. Elle l'ouvrit, le porta à son visage et respira de grandes bouffées de dioxyde de carbone qui l'apaisèrent.

Cette situation était ridicule.

Le sac se gonflait. Le sac se dégonflait.

En regardant sa mère, Noah passa sans transition des larmes au rire.

— Je veux faire ça moi aussi ! s'écria-t-il en s'emparant de son sac et en l'imitant.

Pour ne pas être en reste, Noah plongea également son visage dans un sac en papier.

Snap. Whoosh. Snap. Whoosh.

Des passagers inquiets se retournèrent pour les observer. Une hôtesse de l'air, qu'une dame âgée était allée chercher, s'approcha d'eux.

— Est-ce que vous vous sentez bien, madame ?

Annie sourit faiblement et hocha la tête.

— Oui, ça va.

Elle se redressa contre son siège et respira profondément une fois encore dans le sac.

Whoosh. Snap.

— Voulez-vous un verre d'eau fraîche ?

Le visage dans le sac, Annie répondit :

— Oui, merci.

— Vous avez le mal de l'air ?

Elle hocha la tête.

— Quelque chose comme ça.

L'hôtesse de l'air lui tapota l'épaule amicalement.

— Courage. Ce sera bientôt fini.

Annie savait que l'hôtesse parlait du vol, mais elle ne put s'empêcher de se demander si ses problèmes actuels s'achèveraient eux aussi.

Allait-elle passer le reste de sa vie à respirer avec difficulté chaque fois qu'elle penserait à l'amour qu'elle éprouvait pour Wyatt ? Allait-elle devoir expliquer à ses enfants pourquoi elle avait choisi de les laisser sans père et de leur causer de la peine ? Allait-elle encore aimer vivre à Keyhole, alors que son cœur était à Washington DC ?

Whoosh. Snap. Whoosh. Snap.

Lorsque sa respiration s'apaisa, elle reprit peu à peu ses esprits et, pour la première fois depuis une semaine, elle réussit enfin à penser clairement. Elle reporta son regard sur le hublot et c'est alors qu'une certitude à peine imaginable prit forme dans son esprit.

Elle, Annie Summers, avait eu une seconde chance.

Ses garçons avaient eu une seconde chance.

Le destin leur avait offert un mari et un père attentionné, et elle, elle avait tout refusé en faveur de quelques horribles vases madrilènes et quelques barattes à beurre.

Où avait-elle donc la tête ?

Quand bien même elle déménagerait avec les garçons à Washington DC, seul un coup de fil la séparerait de sa mère et de Brynn. MaryPat pourrait prendre l'avion chaque fois qu'elle le souhaiterait pour leur rendre visite. Pourquoi s'inquiétait-elle autant pour sa mère ? Après tout, elle ne s'était pas laissée dépérir lorsque Judith avait déménagé avec son mari et ses enfants dans l'Iowa.

— Voici, madame.

L'hôtesse de l'air lui tendit un verre d'eau gazéifiée et donna un sachet de cacahuètes aux garçons.

— Est-ce que je peux faire quelque chose d'autre pour vous ?

— Non, non, je vous remercie. Tout va bien, maintenant.

Elle prit le verre et but une gorgée. En repensant au regard blessé qu'elle avait vu sur le visage de Wyatt, elle se demanda si elle n'avait pas tout gâché sans espoir de retour.

— Du moins, je l'espère.

La première chose qu'Annie eut envie de faire, une fois rentrée chez elle, fut de téléphoner à Wyatt. Il fallait qu'elle lui parle. Elle voulait se faire pardonner son comportement odieux dès qu'elle se retrouverait seule quelques minutes.

Traînant leurs bagages derrière eux, les garçons entrèrent d'un pas lourd dans la maison et montèrent dans leur chambre. Annie était inquiète à leur sujet, mais elle devait d'abord résoudre ses problèmes avant de pouvoir trouver une solution aux leurs.

Elle emporta sa valise dans la buanderie et, après avoir mis une machine en route, elle se précipita sur le téléphone de la cuisine. Elle s'empara de son carnet d'adresses et décrocha le combiné pour entendre Alex en pleine conversation avec son copain Sean Mercury.

— Nan, il veut pas être notre papa.

— Pourquoi ?

— Je crois que Noah et moi, on n'a pas été très sages. On a aidé à décorer la voiture de la mariée avec de la mousse à raser. C'est peut-être pour ça qu'il n'était pas content.

Lentement, Annie raccrocha le téléphone. Elle ferma les yeux et s'appuya contre le comptoir. Aucun doute, elle avait vraiment tout détruit, cette fois-ci. En ne voulant blesser personne, elle avait réussi à blesser tout le monde. Profondément découragée, elle leva les yeux en entendant frapper à la porte.

A peine avait-elle ouvert la porte que Brynn entrait en coup de vent. MaryPat la suivait à quelques pas.

— Alors, raconte ! s'exclama Brynn sans détour, comme elle en avait l'habitude. On ne vous attendait pas avant demain. J'ai vu de la lumière chez toi et, étant donné ce qui s'est passé par ici récemment, j'ai préféré m'arrêter pour vérifier. Nous venons juste de déposer Em à son trav…

Sa voix s'estompa et elle regarda fixement sa sœur.

— Oh, ma pauvre ! Tu en as une sale tête !

— Mmm… Je te remercie.

D'un pas traînant, elle gagna le salon et se laissa tomber sur un fauteuil. Elle fit signe à sa mère et sa sœur de la suivre.

— Que s'est-il passé ? demanda MaryPat en s'asseyant à côté de Brynn.

Ignorant leurs interrogations, elle répondit par une question :

— Maman, est-ce que cela te ferait beaucoup de peine si je vendais le magasin ?

MaryPat ouvrit la bouche mais aucun son n'en sortit.

Annie se tourna vers sa sœur.

— Et Brynn, si maman est d'accord, pourrais-tu le mettre en vente aussi vite que possible ? Je te paierai la commission que tu voudras.

Pour la première fois depuis des années, les deux femmes restèrent sans voix. Stupéfiées, elles fixèrent Annie puis se regardèrent l'une l'autre.

— Je…

Annie se tortilla sur son siège et se tordit les mains.

— Je pense déménager. A Washington DC. La semaine dernière, par curiosité, je suis allée sur Internet et j'ai découvert qu'il y avait des quartiers très agréables, très abordables, avec de très bonnes écoles. Et avec le musée d'art Smithsonian, les monuments, les mémoriaux et toute l'activité politique, j'ai pensé que ce serait intéressant pour les garçons, au point de vue éducatif. Et vous savez, si je n'avais plus le magasin, je pourrais me consacrer davantage à mes garçons. Et à la peinture. C'est ce que j'ai toujours voulu faire.

Elle haussa les épaules.

— Alors, c'est lui ? demanda MaryPat avec un sourire.

— Maman, quand nous sommes dans la même pièce, c'est comme si je manquais d'air.

— C'est donc bien lui !

Brynn retrouva enfin sa voix.

— Wyatt t'a demandée en mariage ?

Annie secoua la tête.

— Non. Je ne lui en ai pas laissé le temps. Mais moi, je vais le demander en mariage. A la première occasion.

Le menton posé dans la main, Emily se pencha par-dessus le comptoir et, l'air rêveur, elle regarda Wyatt qui, juché sur un tabouret, piochait dans une assiette de frites.

— Alors, c'était une belle cérémonie ?

— Tu aurais adoré. Je n'ai jamais vu plus belle mariée.

— J'aurais tellement aimé être là ! soupira-t-elle.

— Liza t'envoie toutes ses amitiés. Je sais qu'elle aurait préféré que tu sois là, mais elle comprend.

— Et pourquoi es-tu revenu si vite ? Je croyais qu'Annie et toi alliez rester quelques jours de plus.

— Changement de programme. Annie voulait rentrer hier. Elle a pris un avion juste après le mariage. Au début, je comptais rester quelques jours à Prosperino, puis retourner directement à Washington, mais j'ai pensé…

— Difficile d'être séparés, n'est-ce pas ? demanda Emily d'un ton taquin.

— Quelque chose comme ça.

Wyatt avala une frite, mais il se sentait tellement désespéré qu'il eut l'impression d'ingurgiter un morceau de carton.

— Quoi qu'il en soit, j'ai sauté dans un avion ce matin et me voilà. A temps pour le déjeuner !

La nuit précédente avait été la plus longue de sa vie. Il savait qu'il avait tort de poursuivre Annie ainsi, alors qu'elle avait refusé de l'épouser, mais c'était plus fort que lui. Avant de rentrer chez lui à Washington DC, il devait lui parler une dernière fois. Obtenir des réponses avec lesquelles il pourrait continuer à vivre.

Du moins l'espérait-il.

Mais il ne voulait plus y penser pour le moment. Sa tête lui faisait affreusement mal. Mieux valait changer de sujet.

— Alors ? demanda Wyatt en trempant une frite dans la sauce tomate. Que s'est-il passé en notre absence ? Est-ce que Toby en sait plus sur ce type qui est entré chez toi ?

Emily secoua la tête.

— Non, mais il progresse. Et il est venu passer le week-end chez MaryPat.

Wyatt s'esclaffa.

— Eh bien ! Vous avez dû vous croire dans un épisode de *Vivre à Trois* !

Emily lui donna un coup de torchon.

— Quel idiot ! En tout cas, il s'est régalé de la cuisine familiale.

— C'est comme ça que l'on gagne le cœur d'un homme, tu sais !

— Tu veux bien te taire ? Il n'y a absolument rien entre nous !

Elle essuya une tache de sauce tomate sur le comptoir à côté de l'assiette de Wyatt.

— En tout cas, c'était gentil de sa part d'accepter de dormir sur le canapé de MaryPat pendant tout le week-end. Je me suis sentie en sécurité en sa présence. C'est un très bon ami.

— C'est l'amour. Tu peux me croire.

Emily gloussa.

— A propos d'amour, quand vas-tu demander Annie en mariage ?

— Je l'ai fait ce week-end. Ou du moins, j'ai essayé.

Il soupira.

Avait-il vraiment envie d'aborder ce sujet ? Quand il en parlait, il avait l'impression que son cœur n'était guère plus qu'un amas de chair.

— Vraiment ?

Emily s'arrêta de nettoyer le comptoir et le regarda bouche bée.

— Qu'a-t-elle répondu ?

— Non.

Le large sourire d'Emily se figea avant de disparaître.

— Non ?

— Non.

— Tu plaisantes ?

— Non.

— Mais, tu ne vas pas la laisser s'en tirer comme ça ?

— Qu'est-ce que tu veux dire par « ne pas la laisser s'en tirer comme ça » ? C'est une adulte, que je sache. Elle peut faire ce qu'elle veut. Epouser qui elle veut. Elle l'a déjà fait, après tout.

Wyatt rejeta sa frite dans son assiette et chiffonna sa serviette.

— Mais tu ne peux pas baisser les bras ! s'exclama Emily.

— Qu'est-ce que tu proposes ?

— Bats-toi, cette fois-ci. La dernière fois, tu l'as laissée partir sans rien dire. C'était une erreur, Wyatt. Nous, les femmes…

Emily soupira.

— Nous aimons que les garçons se battent pour nous. Qu'ils nous fassent sentir que nous sommes désirées. Attendues. Aimées.

Wyatt grommela.

— Comment est-ce que tu sais ça ?

— Je suis une femme.

Wyatt la regarda, surpris. Ça, par exemple ! Depuis quand sa petite sœur était-elle devenue grande ?

— Tu crois que c'est la solution, de me battre pour elle ?

— Si j'étais toi, je le ferais.

Le cœur de Wyatt s'emballa. Emily avait raison. Il avait déjà laissé partir Annie une fois, et cela n'avait-il pas été la pire erreur de sa vie ?

Elle l'aimait encore, il le savait.

Et qu'il soit maudit, s'il refaisait la même erreur !

Emily jeta sa lavette dans un seau sous le comptoir. Puis elle se pencha vers lui et lui prit la main.

— Pourquoi ne trouves-tu pas un logement en ville ? Installe-toi ici et fais-lui la cour à l'ancienne. Prouve-lui que tu l'aimes en ne fuyant pas à l'autre bout du pays. A la fin, elle en aura tellement assez de te voir tourner autour qu'elle t'épousera juste pour se débarrasser de toi.

Wyatt grimaça.

— Tu sais que tu es pleine de bon sens ?

— Appelle Brynn.

Il sortit son téléphone portable et la carte professionnelle de Brynn, puis composa le numéro.

— Allô ?

— Brynn ? C'est moi, Wyatt.

— Bonjour, Wyatt ! Quoi de neuf ?

— Je voudrais installer mon cabinet ici, à Keyhole. Tu as quelque chose à me proposer ?

— Tu t'installes dans le Wyoming ?

Etrange ! Elle n'avait pas le moins du monde l'air surpris.

— Oui. J'ai besoin d'un endroit pour vivre et d'un autre pour travailler.

Il lança un clin d'œil à Emily, qui tendait l'oreille pour essayer de suivre la conversation.

— Eh bien, tu as de la chance ! Le magasin Summer's Autumn Antiques sera bientôt vide, et le premier étage ferait un formidable appartement et un bureau.

Wyatt se raidit. Emily s'approcha encore.

— Le rez-de-chaussée conviendrait davantage à un commerce de détail qu'à un cabinet d'avocats, mais tu pourrais louer cet espace et récupérer ainsi une part de ton investissement.

— Mais… mais…

Wyatt chancela. Il regarda Emily en fronçant les sourcils. Elle fronça les sourcils, elle aussi, et s'approcha davantage de lui.

Brynn ne semblait pas avoir remarqué qu'il était soudain devenu muet. Elle poursuivit.

— En effet, la propriétaire souhaite mettre en vente son établissement. Je crois savoir qu'elle pense déménager à Washington DC, pour se rapprocher de l'homme qu'elle aime. Alors si tu y tiens vraiment, fonce. Le prix est intéressant, veinard !

— Je le prends ! hurla Wyatt en tapant dans la main d'Emily en signe de victoire. Je prends tout. Le rez-de-chaussée, le premier étage et toutes les marchandises à l'intérieur.

Il raccrocha et, comme Emily et lui se regardaient fixement, le souffle court, le téléphone sonna.

— Wyatt Russell à l'appareil.

Il fronça les sourcils puis il sourit et leva la main pour apaiser Emily qui trépignait, gesticulait, murmurait dans son oreille et essayait de lui faire dire qui était son interlocuteur.

— Oui ? Bien sûr. Vraiment ? Vous plaisantez ! Vous l'avez déjà vendu ? A qui ? O.K. Oui, je vais lui en parler immédiatement.

Encore sous le coup de la surprise, Wyatt referma son téléphone, glissa quelques billets sous son assiette, enfila sa veste et se dirigea vers la porte.

— Hé, reviens ! cria Emily. A qui Annie a-t-elle vendu son magasin ? Attends !

— Merci pour les frites !

Annie sut qu'il venait d'entrer dans la pièce avant même de le voir. Son cœur se mit à battre deux fois plus vite, et soudain elle manqua d'air. Lentement, elle se détourna de l'abat-jour en vitrail de la lampe Tiffany qu'elle était en train d'épousseter, et son regard plongea dans celui de Wyatt.

Il était revenu.

Même après qu'elle se fut enfuie, il était revenu. Des larmes brûlèrent ses yeux, et son cœur bondit dans sa poitrine. Sans même avoir le temps de se demander si elle devait courir vers lui, ses pieds la transportèrent à travers la pièce et elle se jeta dans ses bras.

— Wyatt !

Il glissa ses bras autour de sa taille et, la soulevant de terre, il la fit tournoyer.

— Oh, Wyatt ! J'ai été tellement stupide... Il faut que je me fasse pardonner tant de choses.

— N'est-ce pas à ce moment que je suis censé dire : « L'amour pardonne tout d'avance », ou quelque chose comme ça ?

Riant et pleurant à la fois, Annie posa sa main sur la bouche de Wyatt et s'empressa de débiter tout ce qu'elle voulait lui dire.

— Non. Parce que j'ai été vraiment nulle. J'aurais dû te laisser parler. Mais j'étais tellement mal dans ma tête que je n'ai pas pu... Je vais mieux, maintenant, et je veux reprendre notre conversation là où nous l'avons interrompue.

Wyatt la reposa sur le sol en la laissant glisser le long de son corps et, prenant délicatement son visage entre ses mains, il déposa plusieurs baisers doux et caressants sur ses lèvres.

— Wyatt, arrête, je t'en prie ! Tu m'empêches de penser.

— Ne t'occupe pas de moi, dit-il en continuant à l'embrasser. Je t'écoute.

— Je...

Elle s'éclaircit la gorge et ferma les yeux. La bouche de Wyatt glissa dans son cou et envoya une déferlante d'agréables frissons dans tout son corps.

— Très bien. Je voudrais te demander… Je voudrais te deman… Je voudrais… Je…

Elle renversa la tête en arrière pour lui permettre d'atteindre cet endroit de sa gorge qui fit accélérer son pouls.

— Tu sais, quand tu me fais ça…, commença-t-elle en pouffant de rire et en se tortillant.

— … j'ai du mal à me concentrer.

— Moi aussi.

— Arrête et écoute-moi. Parce que j'ai quelque chose de très important à te demander.

— Continue, dit-il en remontant le long de son cou et de sa mâchoire.

— Où en étais-je ? Ah, oui ! Wyatt Russell… Je veux faire de toi un honnête homme.

— Tu as un travail à me proposer ?

— Peux-tu rester sérieux ?

— Mais je *suis* sérieux !

Il prit le lobe de son oreille entre ses dents et se mit le mordiller.

— Wyatt, arrête tout de suite ou je vais devenir folle…

Il chatouilla alors son oreille avec sa langue.

— J'adore quand tu perds la tête… Tu es magnifique quand tu es en colère.

— Oh, j'abandonne !

Annie soupira et le laissa faire ce qu'il voulait. Quand il referma sa bouche sur la sienne, elle l'embrassa avec toute la fougue qui s'était accumulée pendant leurs années de séparation.

— Hé !

Un cri d'enfant jaillit de la salle de jeux, à l'arrière du magasin.

— Alex ! Le monstre de l'espace est revenu ! Et il embrasse maman !

Alex poussa un cri de joie, et les deux enfants se précipitèrent vers Wyatt pour lui dire bonjour.

Wyatt les souleva tous les deux dans ses bras et, pendant quelques instants, le chaos régna.

— Qu'est-ce que tu fais ici ? questionna Noah.

— Je suis venu répondre à une question de ta maman.

— Quelle question ? interrogea Alex.

— Je ne sais pas. Elle ne me l'a pas encore posée.

— Demande-lui, maman !

— Si vous voulez bien tous vous taire une minute, je le ferai.

Annie poussa un profond soupir, se tourna vers un vaisselier ancien, remit de l'ordre dans ses vêtements et sa coiffure. Quand elle se sentit présentable, elle se tourna pour faire face à « ses » hommes.

— Parfait, les garçons. Je vais vous demander de rester silencieux pendant quelques instants, d'accord ?

— D'accord, approuvèrent-ils.

— Wyatt ?

— Oui ?

— Acceptes-tu de nous épouser ?

Elle désigna à la fois elle-même et les jumeaux.

Wyatt lui adressa un large sourire.

Mais avant qu'il ait eu le temps de répondre, Noah et Alex explosèrent de joie.

— Wyatt va être notre papa ! Wyatt va être notre papa !

— Je vais préparer nos valises ! hurla Noah.

— Je vais téléphoner à Sean Mercury ! s'écria Alex.

Ils filèrent à toute vitesse, et soudain tout redevint calme.

— Eh bien ? demanda Annie, la gorge aussi sèche que la paume de ses mains était devenue moite.

— Oui.

— Oh ! Mon Dieu !

— Quelque chose ne va pas ?

— J'ai du mal à respirer…

A cet instant, la porte du magasin s'ouvrit à toute volée et Emily entra, MaryPat et Brynn sur les talons.

— J'ai pris une pause, annonça-t-elle. Je ne supporte pas le suspense. Annie ! A qui as-tu vendu ton magasin ? Et pourquoi es-tu toute pâle ?

Fronçant les sourcils d'inquiétude, Wyatt tapota le dos d'Annie.

— Elle dit qu'elle a du mal à respirer.

— Qu'est-ce que tu lui as fait ? interrogea Brynn.

— J'ai accepté sa demande en mariage.

— Ah !

MaryPat s'approcha de sa fille et lui frotta énergiquement le dos.

— Respire à fond, ma chérie.

— Ce n'est rien, reprit-elle en s'adressant à Wyatt. Elle ira mieux dans une minute. Cela m'arrivait tout le temps, avec son père.

Wyatt entoura Annie de son bras tandis qu'Emily continuait à l'assaillir de questions en tous genres.

— Vous allez vous marier ? C'est formidable ! Qui a acheté le magasin ?

Annie regarda Brynn.

— Quelqu'un a acheté le magasin ?

— Oui.

— Qui ?

— Lui.

— Lui ?

Wyatt hocha la tête.

— Oui, je m'installe à Keyhole.

— Vraiment ?

— Oui. Je vais accrocher ma plaque à l'extérieur et je transformerai le premier étage en cabinet. J'ai besoin d'un endroit pour gérer mes affaires si je veux continuer à travailler à mi-temps.

Emily s'étonna.

— Mais qui vient de t'appeler pour dire que le magasin était vendu ?

Wyatt porta son regard sur Annie.

— Il ne s'agissait pas du magasin mais de l'une des toiles d'Annie. Je viens de vendre l'un de ses tableaux par l'intermédiaire d'une galerie de New York. Et ils en attendent d'autres.

— Tu as vendu l'une de mes toiles ? Ils en veulent d'autres ?

— Oui, et c'est pour cela que je n'exercerai qu'à mi-temps. Le reste du temps, je m'occuperai de ta carrière et je t'aiderai à gérer ton magasin.

— Eh bien ! s'exclama MaryPat en claquant les mains. N'est-ce pas merveilleux ? Maintenant, Em, il est temps de retourner travailler. Brynn, suis-moi. J'ai un rôti dans le four, et tu sais combien Toby déteste attendre.

MaryPat poussa les filles vers la sortie avant de se tourner et de lancer un clin d'œil à Wyatt.

— Tu es vraiment un chic type, Wyatt Russell. Sois le bienvenu dans notre famille ! Il était temps !

Wyatt lui sourit.

— Merci, MaryPat.

Lorsque la porte fut refermée, Annie regarda Wyatt avec étonnement.

— Tu t'installes à Keyhole ? Es-tu certain de vouloir faire ça ?

— Annie, mon amour, je n'ai jamais été plus sûr de ma vie. J'ai donné ma démission à Rand ce matin même.

— Vraiment ?

— Oui. Je lui ai dit que j'allais me marier, que j'allais m'occuper des jumeaux, et que je n'avais plus le temps de gérer ma carrière.

— Qu'a-t-il répondu ?

— Quand il a eu fini de faire tournoyer Lucy, il m'a félicité et m'a souhaité bonne chance.

Il pencha la tête et déposa dans son cou un baiser qui la fit frissonner.

— Je suis un homme chanceux, Annie Summers.

— Aussi chanceux que le nouveau papa de Sean Mercury ? taquina-t-elle en entendant le joyeux vacarme qui provenait de son bureau.

— Deux fois plus heureux, murmura Wyatt avant de l'embrasser.

Tournez vite la page,

et découvrez,

en avant-première,

un extrait

du nouvel épisode

de la saga

LES

COLTONS

intitulé

Héritiers du destin

(LES COLTONS N°9)

Extrait d'*Héritiers du destin*,
de Karen Hugues

— Alors, c'est donc ça ! s'exclama Cheyenne après quelques instants. Jackson Coltons, l'homme qui affirme n'avoir jamais voulu s'engager durablement avec une femme, prétend soudain me vouloir comme petite amie.

— Je...

— N'est-ce pas une heureuse coïncidence que je sois la *seule femme* qui puisse t'empêcher de finir en prison, si je garde le silence sur l'endroit où je t'ai vu cette fameuse nuit ?

Jackson ferma les yeux. En tant qu'avocat, il avait prévu sa réaction. En tant qu'homme dont les sentiments à son égard s'intensifiaient à chaque minute qui passait, il la redoutait. Il s'écarta de la rambarde, puis se recula de nouveau pour examiner son profil.

— Je ne suis pas venu ici pour te faire des flatteries basses et grossières dans l'espoir que tu m'épargnes la prison.

— Vraiment ?

Elle se tourna vers lui et le regarda droit dans les yeux. Sa peau cuivrée avait rougi sous le coup de la colère et sa bouche s'était pincée. En une fraction de seconde, Jackson découvrit dans son visage toute la puissance de ses racines ancestrales.

— Cependant, c'est tout comme, poursuivit-elle. Car une femme qui noue une relation sérieuse avec un homme doit peut-être y réfléchir à deux fois avant de faire accuser l'homme de sa vie de tentative de meurtre, non ?

— Suis-je l'homme de ta vie, Cheyenne ?

Elle leva le menton avec défi.

— C'est ce que tu as essayé de devenir ce matin. Mais tu as découvert que je n'étais pas une femme que l'on séduisait facilement. Ton plan A n'a pas marché. Tu as eu toute la journée pour élaborer un nouveau plan d'action. Est-ce donc là ton plan B, Jackson ? Es-tu venu ce soir en espérant me convaincre de ne pas dire à la police que je t'avais vu ?

Il avait beau comprendre sa réaction, cela n'apaisait pas la colère qui bouillait en lui. Les mâchoires serrées, il s'écarta de la rambarde et traversa le porche pour lui faire face.

— Ecoute-moi, commença-t-il en s'efforçant de mettre dans sa voix un calme qu'il était loin de ressentir. Je ne voulais pas que ce qui s'est passé entre nous ce matin se termine par un baiser. Mais je n'ai pas pu résister. Je te veux, Cheyenne. Chaque fois que je te vois, que je m'approche de toi, que je sens ton parfum, ce désir augmente. Comme maintenant.

— Je…

Quand elle fit un pas en arrière, il fit un pas en avant.

— Je ne veux pas…

— Moi si, poursuivit-il calmement. J'ai envie de t'emmener dans un endroit éclairé par la douce lueur des chandelles.

Lentement, il parcourut son visage des yeux, admirant chacun de ses traits.

— Je veux boire du vin chaud et doux avec toi, et t'entendre soupirer tandis que je te débarrasserai un à un de tes vêtements. Ensuite, je veux faire l'amour avec toi pour devenir l'homme le plus important pour toi sur terre. Voilà ce que je veux, Cheyenne.

Ses lèvres entrouvertes frémissaient.

— Tais-toi. Je n'arrive pas à penser lorsque tu me dis des choses pareilles.

— Tant mieux, parce que j'ai aussi du mal à penser lorsque je suis à côté de toi.

Il soupira.

— Le baiser que je t'ai donné ce matin n'a rien à voir avec les problèmes que j'ai avec la police. Et je ne suis pas ici dans le but de t'inciter à te taire lorsque Chad Law viendra t'interroger. J'espère que tu lui diras la vérité sur ce qui s'est passé ce soir-là, exactement comme je l'ai fait.

Elle passa sa langue sur ses lèvres.

— Tu *veux* que je lui dise que je t'ai vu pratiquement à l'endroit où se trouvait la personne qui a tiré sur ton oncle ?

— Non, bien sûr ce n'est pas ce que je veux...

Jackson se passa la main dans les cheveux.

— Mais si c'est la vérité, je n'y peux rien. Je n'ai pas essayé de tuer mon oncle cette nuit-là. J'étais en train de me diriger vers le bar lorsque j'ai entendu le coup de feu. Je me suis précipité dans la cour où c'était la panique. Manque de chance, personne ne m'a aperçu dans le couloir. Et je n'ai pas eu de chance non plus quelques mois plus tard, puisque j'étais seul lorsque l'assassin a tiré pour la seconde fois. Ce sont les faits auxquels *je* dois faire face. Exactement comme je fais face depuis dix mois aux instants que toi et moi nous avons passés ensemble au cours de cette fête d'anniversaire.

— Peut-être que...

Sa voix était hésitante, mal assurée.

— Peut-être que quoi ?

Elle serra ses bras autour d'elle.

— Il n'y a pas de peut-être. Depuis cette nuit, je ressasse les mêmes pensées à ton sujet.

Ses paroles suscitèrent en Jackson un sentiment primitif de satisfaction masculine.

— Alors peut-être comprends-tu pourquoi j'ai envie de vivre avec toi ? demanda-t-il doucement. Il y a une raison pour laquelle nous ne cessons de penser l'un à l'autre, Cheyenne. Peut-être aimerais-tu connaître cette raison tout autant que moi ?

— Peut-être. A moins que l'idée de savoir ne me terrifie.

COLLECTION

Coup de folie

Quand l'humour fait pétiller l'amour

1 roman par mois, le 15 de chaque mois

Dès le 15 avril, un nouveau
Coup de Folie vous attend

Fou d'Annie, par Jennifer McKinlay - n° 10

Fisher est fou. Fou de vouloir poursuivre cette enquête. Fou d'oublier la règle d'or de tout agent du FBI : ne jamais, *jamais* tomber amoureux du suspect n°1, surtout dans une affaire de trafic de blanchiment d'argent. Même si le suspect en question est *une* suspecte, qu'elle répond au doux prénom d'Annie et qu'elle est belle à en mourir ! Mais pour Fisher, il est déjà trop tard : sûr de ses sentiments, il entend bien prouver l'innocence de sa dulcinée…

Le nouveau visage de la collection Or

AMOURS D'AUJOURD'HUI

Afin de mieux exprimer sa modernité et de vous séduire encore davantage, votre collection Or a changé de couverture et de nom depuis le 1er mars 1995.

Rassurez-vous, les romans, eux, ne changent pas, et vous pourrez retrouver dans la collection **Amours d'Aujourd'hui** tous vos auteurs préférés.

Comme chaque mois, en effet, vous y attendent des héros d'aujourd'hui, aux prises avec des passions fortes et des situations difficiles...

COLLECTION
AMOURS D'AUJOURD'HUI :
Quand l'amour guérit des blessures de la vie...

Chère lectrice,

Vous nous êtes fidèle depuis longtemps?
Vous venez de faire notre connaissance?

C'est pour votre plaisir que nous avons imaginé un rendez-vous chaque mois avec vos auteurs préférés, vos AUTEURS VEDETTE *dans les collections* Azur *et* Horizon.

Les AUTEURS VEDETTE *vous donneront rendez-vous pour de nouveaux livres vedette.*

Pour les reconnaître, cherchez l'étoile... Elle vous guidera!

Éditions Harlequin

LE FORUM DES LECTEURS ET LECTRICES

CHERS(ES) LECTEURS ET LECTRICES,

VOUS NOUS ETES FIDÈLES DEPUIS LONGTEMPS?

VOUS VENEZ DE FAIRE NOTRE CONNAISSANCE?

SI VOUS AVEZ DES COMMENTAIRES, DES CRITIQUES À FORMULER, DES SUGGESTIONS À OFFRIR, N'HÉSITEZ PAS… ÉCRIVEZ-NOUS À:

LES ENTERPRISES HARLEQUIN LTÉE.
498 RUE ODILE
FABREVILLE, LAVAL, QUÉBEC.
H7R 5X1

C'EST AVEC VOS PRÉCIEUX COMMENTAIRES QUE NOUS ALLONS POUVOIR MIEUX VOUS SERVIR.

DE PLUS, SI VOUS DÉSIREZ RECEVOIR UNE OU PLUSIEURS DE VOS SÉRIES HARLEQUIN PRÉFÉRÉE(S) À VOTRE DOMICILE, NE TARDEZ PAS À CONTACTER LE SERVICE D'ABONNEMENT; EN APPELANT AU (514) 875-4444 (RÉGION DE MONTRÉAL) OU 1-800-667-4444 (EXTÉRIEUR DE MONTRÉAL) OU TÉLÉCOPIEUR (514) 523-4444 OU COURRIER ELECTRONIQUE: AQCOURRIER@ABONNEMENT.QC.CA OU EN ÉCRIVANT À:

ABONNEMENT QUÉBEC
525 RUE LOUIS-PASTEUR
BOUCHERVILLE, QUÉBEC
J4B 8E7

MERCI, À L'AVANCE, DE VOTRE COOPÉRATION.

BONNE LECTURE.

HARLEQUIN.

VOTRE PASSEPORT POUR LE MONDE DE L'AMOUR.

ROUGE PASSION
De fiévreuses histoires d'amour sensuelles!
De provocantes histoires d'amour passionnées et romantiques qu'on lit d'une seule traite. Aventureuses, parfois humoristiques, et sensuelles, elles mettent en vedette des hommes et des femmes d'aujourd'hui.
ROUGE PASSION... quatre nouveaux titres chaque mois.
GEN-RP

COLLECTION HORIZON

Des histoires d'amour romantiques qui vous mènent au bout du monde!

Découvrez la passion et les vives émotions qu'apportent à la Collection Horizon des auteurs de renommée internationale!

Captivantes, voire irrésistibles, ces histoires d'amour vous iront assurément droit au coeur.

Surveillez nos quatre nouveaux titres chaque mois!

La COLLECTION AZUR
Offre une lecture rapide et
stimulante
poignante
exotique
contemporaine
romantique
passionnée
sensationnelle!
COLLECTION AZUR . . . des histoires
d'amour traditionnelles qui vous
mènent au bout du monde!
Six nouveaux titres chaque mois.

L'ASTROLOGIE EN DIRECT
TOUT AU LONG
DE L'ANNÉE.

(France métropolitaine uniquement)

Par téléphone 08.36.68.41.01

0,34 € la minute (Serveur SCESI).

Composé et édité
PAR LES ÉDITIONS HARLEQUIN
Achevé d'imprimer en mars 2003

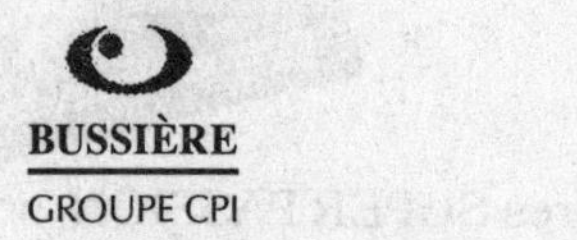

BUSSIÈRE
GROUPE CPI

à Saint-Amand-Montrond (Cher)
Dépôt légal : avril 2003
N° d'imprimeur : 31031 — N° d'éditeur : 9851

Imprimé en France